天下文化
BELIEVE IN READING

# 我創業，我實踐

斜槓CEO張育美

# 目錄

序

# 以醫療科技專業為台灣社會服務

張育美中常委，她是中國國民黨第二十一屆現任中常委，多屆連任以來始終有著十分傑出的表現，經過多年政黨的學習與歷練，在2020年，由於她的熱情參與和群眾號召力，讓更多的民眾支持中國國民黨，成功地登上國會政壇新領域，進而成為醫療科技專業的立法委員，她創造了個人精采非凡的成就，也對黨做出了重大的付出與貢獻。

育美中常委憑著自信堅強的創業精神、專精的醫學知識和經營醫療產業的豐富經驗，從醫療產業創業出發，攀登人生的第二座高峰，找到了自己的價值與才能，實踐了自己的抱負與理想。

立委上任之後，她通過不斷地努力學習，關切國家社會等各個面向的公共政策，認真地監督政府，傾聽人民的心聲，真誠地為民服務。疫情期間的醫療需求，更成為發揮其專業力的最佳舞台，從醫療專業為民喉舌，全心全力守護全國民眾健康。她從創業、學習到從政的歷程，充分展現女性的獨特魅力，並發揮客家婦女艱苦卓絕的本色，不斷突破困難、激勵夥伴、分享同仁，每一階段都能夠很有自信、成功地扮演好適當的角色。

隨著後疫情時代及超高齡社會的到來，她將自身所學，結合醫療與科技，持續學習與創新，打造出更完善及便利的醫療照護環境，讓人民享有更健康與幸福的生活。

育美中常委在醫療產業的卓識遠見、創新思維與全心的投入，結合表現在國會的專業問政上，獲得社會大眾普遍的認同與支持，並透過社群平台與大家交流互動，不吝分享努力的心得及成果，所有這一切都將回饋給社會與國家，希望讓人民過好的生活，讓台灣成為幸福的家園，她是企業經營管理與有志從政者的絕佳典範，樂以為序。

**中國國民黨黨主席**
**朱立倫**

序

# 魄力與溫柔兼具的領導者

張育美立委是我多年好友，前幾年她出版《CEO 遊學記》，展現遊學海外的所見所聞，以及對學習的高度熱忱，令人欽佩。這本新書《我創業，我實踐》則完整展現她從創業、管理到從政的人生經歷與想法，讓外界感受到張育美立委是一位全方位的傑出女性。

曾經做為醫院的領導者，我深知醫院經營是一門複雜的學問，但張育美立委對醫院的管理卻有著清晰的脈絡，她一方面致力於學習，提升專業能力，同時為同仁舉辦課程和研討會，更創辦天成企業大學，讓同仁進修並提升競爭力，成就天成醫療團隊的軟實力，成為南桃園最大的私人醫療體系。

面對競爭日益激烈的醫療環境，從書中更能看見她充滿遠見與魄力，即使有時面對不同聲音，仍勇於做出正確決策，大刀闊斧引進新技術和新設備，積極投入創新和改革作為，嘗試別人沒有做過的事，進而在短短三十年裡，以第一代創業之姿，把天成醫療體系打造成一流的區域教學醫院。

書中最令我感動的，是她溫柔仁慈的一面。她從很多小細節中看見病人的需要，隨時觀察改善，而且她與夫婿徐萬興總裁溫暖仁慈，從年輕時期對清寒病人不收醫療費用，視病猶親，到後來成立基金會，為弱勢貢獻心力，更樂於分享，大力支持在地社區活動，從藝文展演到社區醫療，徹底展現仁者的風範、智者的格局。

近年來，張育美立委走進國會殿堂，可說是最認真敬業的民代，關心醫療、科技、長照、環保、動保與勞工權益等民生議題，在疫情期間為全民健康把關、為醫療從業人員爭取權益，各種重要場合都能見到她嬌小俐落的身影，不負眾望成為民眾心中好感度最高的立委，堪稱最成功的斜槓人生。

面臨台灣進入高齡化社會，我也欽佩張育美立委早在長照議題尚未引發關注之前，便早早推出醫養合一的觀念，透過經營大健康產業，實踐全人照護的精神，展現企業家和醫療產業領導人的絕對高度。

俗話常說：「羅馬不是一天造成的。」張育美立委的成就正驗證了此一真理，希望她的人生經歷能給大家更多啟發，也祝福她在未來的人生道路上，有更多更精采的演出。

**高雄醫學大學附設中和紀念醫院前院長**
**侯明鋒**

序

# 投入公益事業終不悔

我跟張育美委員一個在科技業，一個在醫療業，看似連結不深，其實有許多共通點。

其一，我們都是企業家，深知市場趨勢與產業發展；其二，我們都十分關心公眾事務，透過投入政治活動，希望促進台灣社會的進步、民眾的福祉；其三，雖然我們各自專精在科技及醫療領域，卻彼此跨域到對方的產業。許多人可能不知道，早在十五年前，我就開始接觸細胞治療，曾經打算投資，後來雖未能如願，但卻在2013年創辦宣捷集團。如今身為兩岸生技產業發展促進會理事長，我持續為促進兩岸生技產業的交流與發展盡一份心力。

我知道張育美委員進入立法院之後，擔任衛環委員會委員，長期關注醫療結合科技之議題，倡議台灣應該把握資通訊科技發展優勢，整合優秀的醫療品質及醫護人員，彼此合作，共同推動醫療數位轉型，切入全球智慧醫療市場，打造除了半導體之外的第二座「護國神山」，我本就是科技人，十分認同張育美委員的理念，也敬佩她放下忙碌工作，投入政治，以醫療專業為人民發聲，為醫護人員爭取福利，為人民健康把關，打造更美好的社會環境。

我認為政治絕對是最大的公益事業，張育美委員以企業家身分進入國會，提出好政策，要求政府做正確的事，並且放下身段謙虛學習，從一位「政治素人」成為「專業立委」，亟需勇氣與堅持不懈的精神，這正是我佩服她的地方。

在閱讀《我創業，我實踐》這本書之後，我終於了解張育美委員之所以如此，全因她熱中學習、勇敢跨域的態度。她畢業於藥學系，原可選擇當一位藥劑師，卻投入國際藥廠業務，甚至走上創業這條更難走的道路；在事業穩定成長的同時，她毅然決然重返校園，進入 EMBA、CEO 班學習企業經營管理知識，張育美委員不斷挑戰自己、跨界學習，這種態度實在值得學習。

我建議每位新世代的年輕人，都應該閱讀《我創業，我實踐》這本書，看看一位成功企業家如何保持謙遜學習的態度，不斷精進自己，進而貢獻社會，創造豐富精采且極富意義的生命旅程。

**宣捷集團創辦人**<br>
**宣明智**

序

# 深耕地方，溫暖守護

我是在這次市長選舉期間，才有機會與張育美委員頻繁且密切地接觸。因為育美委員創辦並經營天成醫療體系，深耕桃園已久，對在地十分了解。一開始投入選舉時，在她的幫助下，我深入中壢楊梅地區，了解人民需求，育美委員也帶我拜訪地方仕紳，正因為有育美委員的引領，我可以如此快速地了解桃園地方狀況，對於後來上任市長有極大的幫助，我很感謝育美委員的協助。

輔選是一件非常辛苦的事情，每天行程滿滿、東奔西跑，只要幕僚安排我前往第三選區（中壢區）及第二選區（楊梅區），育美委員幾乎都會陪同前往，介紹地方人士讓我認識，陪著我握遍每一雙選民的手，多虧有她的陪伴，我能踏著堅定穩健的腳步，走完這一趟選舉的旅程。

育美委員經營地方三十年，人脈資源廣泛，又是在地客家人，輔選期間，她集結二十多個醫療界公協會團體，以及客家鄉親團體，為我加油打氣，給予我支持與鼓勵，還無償提供楊梅地區的一棟樓房做為選舉辦事處，讓我們的競選團隊可以有優質的開會討論空間，十分感謝育美委員的付出。

後來我才知道，育美委員與我前東家宏碁集團創辦人施振榮及董事長黃少華相識已久，同為灣聲樂團後援會成員，經常一起欣賞音樂，也積極投入推動台灣藝文生態發展，希望運用古典音樂，讓全世界認識台灣的經典音樂，實踐「愈在地、愈國際」的溝通力量。

育美委員的個性熱情、不吝與人分享，充滿「眾樂樂」的態度，不只自己喜歡音樂，接觸藝文活動，更是大方地將相關活動分享給天成醫療體系的員工及社區鄰居，多年來持續將音樂演出引進中壢、楊梅，讓藝術走入在地，親近大眾，讓在地民眾也能就近欣賞音樂之美，陶冶身心靈，對於育美委員回饋地方的用心與溫暖情感，我十分感動。

在《我創業，我實踐》這本書中，育美委員記錄了她的創業及學習歷程，也分享許多她對藝術文化的想法和行動，以及從政之後為人民、為公共事務發聲的理念，我特別推薦年輕世代閱讀這本書，並學習育美委員持續不斷學習創新，實踐生命理念的行動力，一起為台灣打造更美好的未來。

**桃園市市長**
**張善政**

# 各界推薦（依姓氏筆畫排序）

張育美委員具有專業醫療背景，在立法院中經常為醫護人員發聲、爭取權利，是位表現優異的專業立委。而她所經營的天成醫療體系中，也有許多畢業於台大醫學院的優秀校友，可以說與台大的淵源很深。張委員將過去學習進修、熱心公益之歷程匯集成書，值得年輕一輩參考並學習。

台大醫院院長 **吳明賢**

張育美委員畢業於高雄醫學大學，她是我的學姊，也是我學習的榜樣。我在高醫公衛畢業後進入醫院體系服務，委員則勇敢地走上創業之路，在創業有成後進入政界，以立法委員身分為社會大眾爭取福利及醫界優化環境，這種勇氣令人佩服，這本書完整記錄了育美立委創業及學習歷程，值得一讀。

新光醫院副院長 **洪子仁**

育美委員是台灣女董事協會的創會理事之一，同時是台灣區域醫院首位的女性創業家。在立法院，育美委員關心的是台灣卓越醫療技術與科技的結合，並打造智慧醫療界的護國群山；而我們在半導體高科技界，對於育美委員的問政非常有感。很高興育美委員立功立德之餘還立言出新書，讓我們一起為台灣的醫療科技加油！

帆宣科技董事長 **高新明**

育美立委是我高雄醫學大學的優秀學姊，也是我創業途中最佳典範。她充滿活力衝勁的個性，精準敏銳的生意頭腦，謙遜永不停歇的學習態度，值得每一個人學習。

諾貝爾眼科總院長 **張朝凱**

育美立法委員多年從事醫療服務，她是台灣區域醫院第一位女性創辦人。在創業有成之後仍然關心公眾事務，在立法院任職，關心台灣醫療科技到大健康產業的發展，並時常為醫療界發聲，為全國人民健康把關。本書描述育美委員從經營醫院的辛苦歷程到從政關心公眾事務的經驗，非常值得醫療界的同仁閱讀與學習。

林口長庚醫院院長 **陳建宗**

與育美立委多年來數次在各類健康論壇中，共談「醫養合一」的觀念，她關心台灣長照的發展。以天成醫療體系金色年代長照社團法人親身實踐，導入完整的專業管理，推動符合社會需求的長照法案，是長照產業的重要推手。

台北市立關渡醫院院長 **陳亮恭**

我曾多次與育美立委一同參加醫療科技論壇，非常高興有如此優秀的高醫大學妹，她不僅把醫院經營得有聲有色，還進入國會為醫療界發聲。在她問政的過程中，多次提及台中榮總智慧醫院是台灣醫療科技的成功代表。此書非常適合對醫療產業有興趣的人研讀。

台中榮民總醫院院長 **陳適安**

育美委員是高雄醫學大學傑出校友，她是校友創業有成的代表，關心母校發展也與全球高醫校友有良善連結，更關心國家社會的醫療與科技發展。

高雄醫學大學校長 **楊俊毓**

育美委員和我都是台灣女董事協會的理監事，她是個熱情、開朗的企業人，曾經出版《CEO 遊學記》一書講述國際學習的過程，我在 Yahoo 工作過，育美委員的經歷與我心頗有同感。很感謝她參與我的新書發表會，也期待育美的新書出版。

Yahoo 奇摩前總經理 **鄒開蓮**

育美從女性企業家轉換到國會跑道上，面對複雜度及爭議性極高的議會質詢應是最大的挑戰，但她很快便能進入狀況，在衛環領域發揮所長。她把經營企業的精神運用在立法委員的職責上。從企業經營到為人民爭取權益，角色的轉換拿捏得很好。育美是傑出的女性企業家，也是企業家從政的典範！

**台灣女董事協會創會榮譽理事長 蔡玉玲**

對一個人的認識，從學生時代看得最清楚，張委員跟夫婿徐萬興總裁是我醫學院的同學，張委員的人格特質聰明靈巧、善良正直，熱心公益不落人後，成功地從創業到從政，一點都不令人驚訝，足為後輩的表率！

**台北市立聯合醫院總院長 蕭勝煌**

同為高雄醫學大學的校友，我非常佩服育美委員一直以來樂於學習、突破自我框架、挑戰不同領域的勇氣與智慧。她可以成功經營醫療集團，也能做一個為民喉舌的好立委，恭喜她新書出版，本書內容值得醫界新生代細讀品味。

**中華民國牙醫師公會全國聯合會前理事長 謝尚廷**

自序

# 實踐是最好的答案！

2011 年，我寫了第一本書《CEO 遊學記》，實現了「讀萬卷書、行萬里路」的理念。

在書中，我分享自己飛行數十萬公里，遠赴美國哈佛大學、哥倫比亞大學、英國倫敦商學院、西班牙 IESE、法國 INSEAD 等國際知名商學院進修，以及參加長江商學院、中歐國際工商學院全球 CEO 班課程的經歷。能夠進入世界名校向一流的學者學習，吸取國際頂尖商學院的經營管理之學，是非常特殊珍貴的經驗，讓我獲益匪淺。

書籍出版後，我的 CEO 同學們終於明白了每次上課或團體活動時，我總是拿起相機記錄的原因，因為他們都成了《CEO 遊學記》中的主角。

當同學們看到書中與自己相關的文章及相片時，都非常開心。之後每次聚會，他們總會主動擺出漂亮的姿勢說：「來拍一張吧！說不定我們會成為育美下一本書的主角呢！」大家的回應為我帶來更多的收穫，這本書不僅忠實記錄自己的經歷與見聞，也與同學們建立起深厚的友誼。

## 寫書分享學習經驗

在中歐和長江商學院的 CEO 課程中，我被其精采課程內容深深吸引，忍不住以日記的方式，細心記錄學習過程中的所見與所聞。後來，我了解到 CEO 國外學習的經驗豐富多元，對一般人而言是難以企及的經驗，於是我決定將這段學

中歐國際工商學院第七期全球 CEO 班峰會在台北舉辦，會議中來自各界的 CEO 互相交換學習心得。

習過程寫成書，促成了第一本書《CEO 遊學記》的誕生。

出版這本書，原本只是想與好友分享我的見聞和心得，沒想到獲得眾多讀者的迴響，多次登上博客來網路書店科普類書籍暢銷榜第一名。這本書還讓我有幸成為「台大和長江商學院」與「台大和中歐國際工商學院」多次舉辦兩岸企業家高峰會與論壇的橋梁。

## 求知與實踐並進

時常有人問我，做為公司的 CEO，如何在忙碌工作中抽出時間學習。而我認為，身為企業經營者或具有主導決策能力的 CEO，更應當了解明朝宗師王陽明「知行合一」的理念，即「知之真切篤實處即是行，行之明確精察處即是知」。

我相信，從學習中汲取知識與經驗，能夠提升思考能力與決策水平，進而帶領企業持續成長，就是「知行合一」的實踐。

我的夫婿徐萬興醫師是天成醫療體系的總裁，也是我最感謝的人之一，他不僅是外科專科醫師，而且博學多聞。

我非常感謝夫婿的支持和鼓勵。他說，香港大學著名書畫家佘雪曼教授曾經提出，一個好的文學作品必須符合三個要件：

第一，筆鋒帶有情感；

第二，對人生具有使命感；

第三，具備創造力。

**明朝宗師王陽明「知行合一」的理念**

**因為服膺王陽明「知行合一」的理念，我也將其帶入企業經營策略中。**

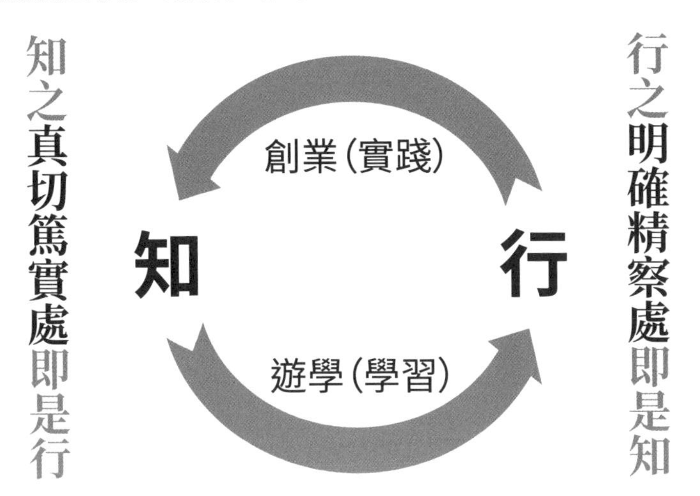


夫婿認為我的文章恰好符合這三個要件，不僅把生命與生活中每個細節的觀察用豐富的情感表達出來，也願意與人分享。寫作不僅是自己情感的抒發，也讓我的家人、同事和好友一起成長，這是我人生的使命感所在。

## 讀者的鼓勵

自從《CEO 遊學記》出版後，有人告訴我，這本書已經成為兩岸企業主管在前往中國大陸攻讀 EMBA 或工作時的指南和參考書籍。

更令我感動的是，在許多場合，常會遇到讀者告訴我，他們閱讀過我的前兩本書，甚至有些人已經成為「粉絲」，讀過很多遍了。

有一次，女兒陪我參加高雄醫學大學校友會，遇到高醫大附醫前院長吳俊仁，他說：「我是從妳媽媽寫的《CEO 遊學記》中認識妳的，妳變瘦了。」

還有鄰居的小女孩請我簽名時，拿著世界地圖，指著美國的位置說：「現在我要認真讀書，以後努力賺錢，讓媽媽有機會去念阿姨您在國外念的哈佛大學，也要去您去過的地方。」後來，她真的去美國讀書並在華盛頓 D.C. 上班了。

甚至有一位遠居美國的朋友，在新加坡國立大學圖書館看到《CEO 遊學記》之後，就打電話給我，來台時特別跟我要了六本書帶回美國。

記得某次演講完畢，一對中年夫妻欣喜地告訴我，他們看完《CEO 遊學記》後就迫不及待付諸行動，真的依著書中第三章〈在金融城看世界錢潮：倫敦商學院〉的內容，前往倫敦旅行，在靠近海德公園的文華東方酒店（Mandarin Oriental Hyde Park），享用高貴的正統英式早餐。

當《CEO 遊學記》出版後，中央大學商學院邀請我去演講，時間為兩小時。也許是演講內容太精采，中場時有位同學說要去洗手間，希望我暫停講課，因為他擔心錯過了五分鐘的課程內容。我告訴同學不用擔心，這段時間我們先喝杯咖啡，講一些較輕鬆的內容，等他回來後再繼續講，這位同學果然很快就趕回來，繼續聆聽我的演講。這樣的熱烈反應，我相信是因為「 I say what I did 」，我聞、我見、我思、我實踐，深深感動了他們。

## 藉由書寫，拉近與人的距離

參選中常委時，我去黨代表的家問候拜票，這位黨代表把《CEO 遊學記》放在書桌上，他說內容很精采有空就看。另一位黨代表把書給媳婦傳承閱讀，後來他的媳婦也認識我，還有黨代表把《CEO 遊學記》放在床頭，成了他的睡前讀本。

2022 年 9 月，我參加國民黨第二十屆全國代表大會，有幾位黨代表看到我，過來擁抱我說：「我們很認真閱讀妳的《CEO 遊學記》，妳的下一本書什麼時候出，如果出版一定要通知我們。」

我很驚訝這本書能拉近我和許多人的距離。2022 年年底，我為桃園市市長候選人張善政輔選跑行程時，在張廖簡宗親會上，遇到前宗親會張會長，他特別追問我第三本書何時出版，原來他已經把《CEO 遊學記》看了兩遍，還開玩笑地說：「我邊看邊幫妳校稿，文字都沒有錯。」

另一位桃園市市議員，他報考某國立大學 EMBA 時，口試教授問他，民意代表平時要忙選民服務，可能沒時間看書，最近有讀書嗎？他回答說讀了《CEO 遊學記》，教授們聽了莞爾一笑。後來他很高興地告訴我，他被錄取了。

讀者接連不斷的反應讓我非常驚喜，完全超出最初寫書時的預期。這些鼓勵也成為我撰寫本書《我創業，我實踐》的關鍵原因。

讀者的肯定給了我許多信心，分享生活、工作、學習乃至公共政策等各個面向的所見、所聞與所思，透過書寫的力量，持續學習與分享。

## 期盼成為懂得分享的明智之人

我每天早上五點多就起床看書和寫作，這讓夫婿很感動，也支持我繼續創作。他喜歡閱讀科學、哲學、歷史和古籍等書籍，經常笑我讀的書沒有他多，但他沒有出過一本書，而我卻已經出版了兩本。他說：「妳寫的都是自己的經驗，非常獨特。」在閱讀我最近寫的幾篇文章後，他認為從寫實的文字中，可以感受到我充滿感性、對生活懷抱著熱情。

大女兒看到我如此認真寫作，分享了她參加台灣女董事協會[1]女董學院課程，企業導師說有些董事長也喜歡寫作，因為可以幫助整理思緒，把過去的經歷做個總檢討，就如曾國藩所言：「百戰歸來再讀書。」勉勵我自己，百戰歸來，再將過去工作與創業的經驗及國際上的學習寫成《我創業，我實踐》，與讀者分享。

在《CEO 遊學記》和《CEO 參政記》兩本作品之後，第三本書原取名為《CEO 進國會》，但我進入國會的時間只有短短四年，而寫作範圍包含創業經驗、藝術與文化的學習，且前半段內容在我當立法委員之前就已快完成了，因此將書名改為《我創業，我實踐》，繼續與讀者分享我從經營醫療產業、CEO 學習之旅再到進入政壇的所見所聞，包括企業經營上的理念與實踐、對公共政策的關切，以及對國家、社會與大眾的關心。

我希望能像美國著名企業家、慈善家洛克菲勒所說的那樣：「我想人生有兩件事可當作目標，首先是得到自己想要的東西，然後是與他人一同分享，而只有最明智的人才能做到第二點。」我希望成為明智之人，透過《我創業，我實踐》這本書，與您分享我的創業與學習到從政的歷程。

---

1 台灣女董事協會（Taiwan Women on Boards Association）成立於 2018 年，由橫跨十五個產業以上之國內上市櫃公司女性董事長、董事、總經理、CEO，以及外國公司（MNCs）在台總裁、董事、總經理與CEO組成。

楔子

# 自我實踐，進入政治叢林

對於認識我的人，不論是親朋好友、校友，或是工作、生意上有往來的夥伴，知道我要參與政治時，都覺得不可思議。在眾人眼中，我是一位事業穩定的企業人，也擁有不錯的社經地位，為何要從政？

## 商人從政，古今中外皆有

春秋戰國時代的范蠡，從政期間成功滅掉吳國霸權，並且協助越王勾踐復國，挽救了處於危難之中的越國。之後他退出政治界，轉而經商，成為當時的商業大亨，他高超的商業策略，被後世奉為經商鼻祖。在華人歷史上，他既是偉大的政治家、慈善家，也是富甲天下的陶朱公。

美國紐約市前市長彭博（Michael Bloomberg），早在 1981 年就創立以他為名的財經頻道，並擔任該公司董事會主席兼執行長達二十年，直到 2001 年當選紐約市市長。他沒有支領 270 萬美元的市長年薪，僅象徵性地每年領取 1 美元；而且自 2001 年開始，三次選舉經費都是從他的私人口袋掏錢，所以他可以不受利益團體或政黨的影響，完全依照自己的意志施政。他的施政不是以討好民眾為出發點，而是想要實踐理想；但正是這樣反而能讓市民認同。

彭博不靠政治也能發達，因為無後顧之憂，因此能堅持理想改變現狀，這正是企業家參政的最大優勢。

我在《CEO 遊學記》曾引用詹姆士．弗里曼．克拉克（James Freeman Clarke）的名言：「政客想的是下一場選舉，政治家想的是下一個世代。」這句話，對於我決定從政產生深遠影響。

我經營的醫療事業與社區民眾健康息息相關，長期以來投入地方公共事務發展，很榮幸有機會擔任中國國民黨籍任務型國大代表。

2005 年中華民國國民大會代表選舉，是史上唯一、也是最後一次任務型國民大會代表選舉，主要目的是將國民大會的功能轉移至立法院和公民投票，並將立委席次減半。

在擔任任務型國代之後，黨部兩度力邀我參與桃園第二選區（楊梅、新屋、大園、觀音）立法委員選舉，雖然我經營的兩家教學醫院其中一家就在楊梅，但當時並未規劃參選，所以婉謝。

2011 年 7 月，當我再度陪同夫婿、子女赴美到哈佛大學進修 CEO 課程，課程結束後於紐約度假時，某天深夜兩點多（台灣時間下午兩點多），突然接到中國國民黨桃園縣黨部主委許福明的電話，邀請我參加 2011 年中常委選舉。

當時我人在紐約的廣場飯店（The Plaza Hotel），從窗戶看到對面的中央公園，旭日東升之時，陽光照亮了我的決心，想到自己若能進入中常會，就能進一步關心黨的發展與眾人之事。

決定參選後，我立即聯繫美國、加拿大海外黨代表們，回國後組織團隊，緊湊拜訪全國黨代表。很多黨代表們都表

時任中國國民黨黨主席馬英九（左）頒發給我第 18 屆第 4 任中常委證書。

示，透過《CEO 遊學記》對我有了較多的認識與了解。感謝黨代表們對我的大力支持，我的首次參選就取得大家的認同，並高票當選。

中常委同事們知道我是企業 CEO，因此常稱我為 CEO 中常委。

## 累積能量，對黨對國提出建言

2023 年，我已經擔任七屆中國國民黨中常委，每週三都會前往中央黨部參加中常會會議。

記得剛擔任中常委前幾年，時任總統馬英九兼中國國民黨黨主席。與會時，我們可以提出各種與國家政策相關的建議，在黨中央為民發聲，馬總統會一一回應。會後，馬總統也會留時間給中常委們反映民意，這讓我有機會直接向總統請益學習，收穫甚多。

此外，擔任中常委期間，我也參與輔選 2012 年、2016 年、2020 年及 2024 年總統大選。

決定從商界進入國民黨中常會，對我而言就如「也傍桑陰學種瓜」。

我是個喜歡學習的人，到世界各地遊學，與國際知名學者和企業家交流切磋，實際體驗國際社會的進步與變化，這些經歷已經成為我生命中不可或缺的一部分。在這個過程中，也積累了豐富的能量，可以在擔任國民黨中常委時，提出對黨和國家有益的建議。

第一章

# 創業

# 走不一樣的路

在許多頒獎典禮上，常見得獎人在致詞時開場白為「我要感謝我的父母……」，雖然這種說法聽起來有點傳統，但當我回想過往，也才發現自己最想要感謝的人，真的就是我的父母親。

我的父親是一位老師，而母親自年輕時就開始做生意。後來，父親提早退休與母親共同創立貿易公司。我的父母非常重視孩子們的教育，並鼓勵我們多讀書，對我期望很高，希望我能考取醫學院。

記得我 6 歲時，經常陪伴阿嬤去新竹關西看病。醫師覺得我很可愛，問我長大後想不想當醫師，我回答：「要！」後來我才知道，因為這位醫師沒有小孩，看病有空之餘特別喜歡跟孩子們聊天。

在等領藥的時候，有時會走到醫生館的後院。醫生娘經常坐在院子裡，看到我們就會打招呼，有時還給我一些糖果，讓我很羨慕當醫師的生活。

我記得這位老醫師特別喜歡幫病人打針，他常為阿嬤注射一種黃色且帶有味道的藥物，每次打完針後，阿嬤總是會說感覺好多了，後來我才知道，那種藥物是合利他命 F。

阿嬤身體一直都不太好，除了西醫之外，也會去附近的中醫診所看病。因為我年紀小、個子矮，會半蹲跪在診所裡拿藥的長板凳上，觀察著中醫師一邊抓藥、一邊搗磨中藥並收費。這時候，我心想長大後也要開診所、當老闆。

醫師叔叔伯伯們經常說我聰明伶俐，鼓勵我長大後當醫師。或許因為如此，父親在我小時候就鼓勵我將來成為一名醫師。

我所居住的關西鎮主要是客家人聚居之處，客家人非常重視子女的教育，幾乎每個家庭都希望孩子能夠考上醫學院，成為醫師。事實上，關西鎮和竹東鎮正是培養出許多優秀醫師的小鎮。

在父親的鼓勵和支持下，我考取了高雄醫學大學藥學系。雖然不是父親原本期望的醫學系，但能進入醫學院也算是完成他多年來培育我的心願。最讓父親高興的是，畢業後我嫁給了當醫師的夫婿，也算是間接實踐他的期望。

## 畢業後第一志願到外商藥廠當業務代表

一般醫學院學生，畢業後大多想到醫院或藥廠上班，但我的想法不同，第一志願是到外商藥品公司當業務代表，希望學到醫院或藥局開業的經驗。然而，當時很少女性擔任藥廠業務代表，我到外商公司嬌生（Johnson & Johnson）面試時，他們破格錄取我，成為第一位女性藥品業務代表。從這個求職經驗中，我學到只要堅持有毅力，就有希望。

為了工作方便，正式到職前，我訂了一部福特六和 Laser 汽車，報到第一天就開車上班。這件事我不敢告訴父母，因為我用盡了所有存款支付頭期款，還貸款一半。

由於想要早日還清車貸，我身兼三份工作，正職在嬌生藥廠當業務，工作之餘就去新生醫校授課，每星期六連續上四堂課，另外一、三、五晚上還到信成補習班教化學。

當時信成補習班的老闆，是我以前的化學老師黃木添，他也是省議員，我打電話給老師說我想去授課時，他馬上約我面試，讓我在現場試教了一堂課後，立即錄取我，隔天我就開始授課了。

身兼三份工作，而且工作內容都得說話，尤其授課都是連續的，長期下來我的喉嚨受傷長了繭，至今仍無法完全恢復，朋友們都知道我的聲音很沙啞，這就是年輕時努力工作，聲帶過分使用造成的生理傷害。因為這樣的奮鬥打拚，不久後我就提前還清了車貸。

擔任藥品業務時，我經常要拜訪大型醫院的院長、各科主任，和他們交流時，讓我對醫院經營管理有了興趣，啟發想要開醫院創業的想法。夫婿在省立桃園醫院（現為衛生福利部桃園醫院）當外科住院醫師，正要升遷為外科總醫師（Chief Resident, CR）時，我們就創業了。

# 第一次創業就開醫院

回想起 1990 年楊梅天成醫院的創業和擴張版圖歷程，真的是一段充滿辛苦和勇氣的過程。

創業初期，我們接手了楊梅一家約五十張床位的小型醫院，這家醫院因為股東理念不合想轉讓，我認為這是個好機會。雖然當時有多組買家，包括來自馬偕醫院的七人醫師小組及省立桃園醫院的五人醫師小組，因為我比較主動積極表達誠意，所以搶得先機。

當時，我甫滿 31 歲，而夫婿正在省桃當醫師，銀行存款總共也只有一百多萬元，想到經營一家小型醫院資金至少需要五千萬到一億元，我們感到非常有壓力。然而，年輕的我認為，碰到問題只要努力想辦法解決，沒有辦不到的事。

我們想到的辦法是，先和醫院擁有者商量，使用「租賃」方式，雖然每個月租金高達三十二萬元，但我們還是勇敢地簽下合約，進駐醫院後便無時無刻認真工作、努力經營。

大約半年後，因為醫療專業和服務品質的提升，口碑傳自從接手醫院後，我開始改善醫院環境，原本的燈光不夠明亮，便逐步將電燈泡換成日光燈，提高照明度；為了方便病床進出，將大門和急診門改成大型落地門，並為整棟醫院安裝全新的冷氣機。

醫院共有四層樓，病房位於樓上並未設置電梯，需要用擔架將病人抬上樓，送到住院病房或手術室，非常不方便，為了解決這問題，我在醫院內新建了電梯。值得一提的是，在 1990 年代的楊梅，大部分建築物都尚未裝設電梯，因此這在當地可說是一項創舉。

安裝新電梯的過程中，在挖掘一樓地板時，邊挖邊湧出泉水，引起了病人和家屬的好奇心，大家看到不斷湧出的噴泉，還在現場說這間醫院一定會大發，後來天成醫院真的應證了台灣俚語「遇水則發」這句話。

1990 年開業後半年，我們添購了當時高端的電腦斷層（Computed Tomography, CT），並購置其他高級醫療儀器，也請來省立桃園醫院和馬偕、長庚醫院等訓練過的內科、外科、皮膚科、小兒科等各科名醫到楊梅看診，醫院每天門庭若市，從此，楊梅天成醫院成為當地民眾生病時的首選醫院之一。

創業的前半年，當我們來這裡考察時，發現旁邊有一家醫院病人眾多，摩托車多到幾乎停到馬路中線上。

但是當我們經營楊梅天成醫院一年後，情況完全相反；我們的病人數量不斷增加，換成我們醫院病人與家屬的摩托車停到馬路中線了，病人數從每天七十人增加到九百人。這樣的看診成長數，可能是因為病人與家屬們傳出的好口碑，大家知道楊梅天成醫院有很多來自各大醫院的醫師，讓病患很有信心。

隨著天成醫院的知名度愈來愈高，病人數也逐漸增加，由於候診的人很多，因而吸引了不少賣小吃的攤販在醫院外面擺攤，生意蓬勃，漸漸形成楊梅地區最熱鬧的市集。

鄉親們來到醫院掛號看病時，會順便逛逛這些攤販，品嘗小吃、買些水果和零食，陸續有更多商家紛紛在醫院附近開店，包括花店、麵包店、超市、便利商店、火鍋店、餐廳等，帶動楊梅新成路新商圈的發展。

## 同事都稱我是「建築設計總監」

天成醫療體系幾乎每兩年就有新建工程，2016年後，又開發「醫養合一」的新事業。我在擔任立法委員之前，每週有兩、三天，我的主要工作是和建築師或設計師開會，同事們都稱我為「建築設計總監」。

有一天，在例行工程會議時，我問工程部同事們，共新建和裝修了多少棟醫療大樓？他們回答新建了九棟大樓，我提醒他們，舊大樓內部打掉和重新裝修的有四棟，合計至少有十三棟樓。後來，同事們才記得把拆掉重建的舊建築物也納入計算。

而這十三棟建築，都是我親自參與設計、擔任總務和監工的醫療建築，為了確保工程的質量和進度，我要求工程部同事對每棟建築的每一層樓都進行數位化整理。由於數位化啟動得早，如今調閱工程圖變得非常容易。

現在於工程會議中，只要我提到哪一棟、哪一樓興建和裝修的建築工程，同事們馬上就可以從電腦中調出工程圖。

天成醫療體系的各棟建築物外牆都有標準化。一、二樓的外牆以花崗石做為材料，三樓以上則採用二丁掛磁磚，選用米色系，呈現出一種溫馨優雅的氛圍，外牆柱子刻意露出，使整棟建築更具立體感。鋁門窗則選擇香檳金色系，為了確保色調的統一與特殊性，我還親自前往位於新屋的力霸鋁門窗工廠，進行顏色搭配和訂貨。

顏色和造型整合之後，天成醫療體系的建築物有了自己的格調和特色。之後，雖然有些是購入的大樓，我也盡量把大樓外觀和內部裝修成一看就是天成醫療的風格。

## 蓋醫院大不易

有些建商朋友問我，蓋醫院與蓋房子有什麼不同？我說，蓋醫院不像建商有預售屋可以先籌得資金，新建醫院從購地開始就要投入大量資金，若地主知道這塊土地要蓋醫院，價格一定拉高。

早期台灣有句傳統俚語：「第一賣冰、第二做醫生。」意指賣冰的原料是水和糖，現金交易，毛利高。早年醫生供不應求，地位高，也是現金付費，收入好。而在 1995 年全民健

## 天成醫療體系 打造智慧醫療健康城

中壢天晟醫院

楊梅天成醫院

中壢（新）天祥醫院
（預計 2024 年開業）

中壢金色年華綜合長照機構

楊梅天成日間照顧中心

內壢金色時代住宿長照機構

楊梅天成醫院附設護理之家

金色年代新街日照中心

龍潭天慈日間照顧中心

龍岡聯合診所
（預計 2024 年開業）

保實施之後，醫療院所已是政府定價的類公醫制，而醫院又要有昂貴的醫療設備，需要自有資產，經營醫院已是重資產的行業。

一間新醫院從購地、申請、核准、挖地下室起到蓋好，約需三至四年的時間；醫院開業後，大約需要四年左右才能達到營收與成本平衡，整個過程至少需耗時大約七、八年才會有利潤。在這段期間，醫院營運需要自有資金來維持。

一般醫院在購地興建時，需要考慮大量的停車需求，因此除了醫院用地之外，還必須同時設置大型停車場。一開始雖然自有資金投入較高，但隨著時間推移，有些醫院因為停車場土地價格上漲而獲得收益，反而讓副業收入超過本業。正如那句諺語「豬不肥，肥到狗」，本業沒有賺到錢，反而是副業賺到了。

在建築成本方面，醫院的造價高於一般住宅和商業大樓。因為醫院需配備各類急重症救治的重型醫療設備，建築乘載力和結構必須非常堅固，能夠承受地震和天災，超過一般住宅的結構要求。

此外，病房的高度需要容納空調管路和維生設備，通常要達到三米八以上，開刀房與加護病房的高度更達五米以上，高於一般住宅工程的標準。

最貴的是醫院機電費用，包含醫院消防、急重症加護病房、維生設備、無塵室開刀房、汙水處理等，都不同於一般機電設施，有別於一般住宅、商店建築物，算是高成本的重新建楊梅天成醫院時，為了確保安全，我要求建築師使用更密集的鋼骨結構施工。當工地密集的鋼骨結構外露時，大家還以為我們在蓋防空洞。這段經歷讓我對建築工程有了更深入的了解，並愛上這份有使命感的工作。

雖然每次去工地都有戴口罩和安全帽，但由於裝修過程中接觸許多粉塵，那段時間對我而言相當辛苦，臉部常常長了許多痘痘，皮膚狀況不佳，看起來比較老氣。

然而，隨著工程逐漸完成，皮膚狀況得到改善。現在許久不見的朋友們看到我，都說我皮膚比以前好得多，而且看起來更年輕了。

# 因緣際會，拓展版圖

1993 年，楊梅天成醫院開業三年後，有位藥廠朋友告訴夫婿，附近一家鄰近高速公路交流道的醫院要出售，地理位置比市內新成路的天成醫院更好。我和夫婿評估後認為，如果同業買了這家醫院，將對天成醫院造成影響，因此立即聯繫該家醫院負責人。

當時，賣方已經與買方擬訂買賣草約，但買方尚未簽名蓋章，也未支付訂金。我抱著不放棄的決心，積極溝通，而賣方也認為他們的草約時效已過，最後終於同意與我們簽約。

由於賣方的另一位股東在加拿大，為了配合他的白天時間，我們在颱風來襲的凌晨十二點完成買賣簽約手續。

## 邁向南桃園最大私人醫療體系

這項重要的併購案，在風雨交加的颱風夜完成，當時的我並未料到，這個決定竟成為天成醫院後來發展的重要關鍵，奠定了天成在桃園南區的醫療地位。

1994 年，我們成功併購新醫院，並將其命名為天慈醫院（現今楊梅天成醫院新建醫療大樓院址）。為了區隔市場定位，將經營重心放在婦產科與小兒科，提供婦女與兒童所需的醫療服務。從此，楊梅天成醫院成為內、外、婦、產、少、兒的全科醫院。

由於天成醫院醫療品質深受好評，經營相當成功，同一年，我們也在中壢成立了天祥醫院。

1997 年，天慈醫院和楊梅天成醫院合併成為楊梅天成綜合醫院。

2000 年，我們新建地下四樓、地上十一樓的中壢天晟醫院，由達新工程公司承包施工。2014 年，天晟醫院擴建為區域教學醫院。

2002 年後，受到美國 911 恐怖攻擊事件、經濟衰退以及國內 SARS 疫情影響，導致全國投資狀況停頓，許多建築業和營造廠面臨工程建案減少的窘境。

在這段艱困時期，全桃園只有四個工地在進行，其中之一就是楊梅新天成醫院，由大都市營造公司（現今遠雄營造公司）興建。新天成醫院全棟使用世紀鋼構的鋼骨結構，開刀房的無塵室則由專門承做科學園區半導體無塵室工程的亞翔公司承包。

在建築成本低的時候，我們決定採用價格較高的鋼骨結構工程，以加快興建新天成醫院的速度。一般而言，醫院大樓的興建工程期大約三年，但新天成醫院全棟使用鋼骨結構工程，我們僅用兩年時間就建造完成。

天慈醫院原是只有兩層樓的老舊建築物，經過重新建造之後，變成煥然一新的醫療大樓。這座全新的楊梅天成醫院是地下三層和地上十層的建築，於2004年1月9日正式開業。

現在回頭來看，新天成醫院完工後不久，2004年元月份起全國營造業逐漸復甦，水泥及鋼鐵材料一夕間價格攀升。以當時興建同樣工程的市價來看，我們大約省下新台幣兩億元的工程費用。

2019年，我們將位於新成路的楊梅天成醫院舊址，改建為天成醫院附設護理之家。

雖然經營醫院相當辛苦，但在看到新醫療大樓的落成之際，內心所感受到的激動情緒，就像期待已久的寶寶終於誕生般的喜悅。

迄今，天成醫療體系已擁有兩家教學醫院及正在籌設中的中壢（新）天祥醫院、金色年代長照社團法人的長照住宿型機構、居家服務以及日間照顧中心等，形成了「醫養合一」的大健康產業[2]。以醫院床數和長照床數相加計算，天成醫療體系可說是南桃園最大的私人醫療體系。

## 南桃園第一家設置CT的醫院

經營醫院，要站在病人的角度需求思考，「以病人為中心」做出決策，是非常重要的。在創業初期，我們做對了幾個重要的決策，包括投資設備和人才，而這也是奠定天成醫療體系穩健成長的重要因素。

1991 年，我們正考慮購入 CT 時，當時廠商 TOSHIBA 認為這部醫療儀器要價近千萬元，投資費用太高，建議再考慮。

然而，我並不這麼想。

三十年前，南桃園地區若發生重大車禍，傷者需要送到台北或北桃園就醫，難免造成病情的耽誤，對於家屬後續照顧上也十分不便。

因此，我不顧廠商的提醒，決議添購急重症醫療設備，這個決定不但讓楊梅天成醫院成為南桃園首家擁有 CT 的醫院，也使得嚴重傷勢的患者可以就近送到楊梅天成醫院急救開刀。

天成醫院的急診服務量一度創新高，車禍頭部外傷病人的開顱手術量，有一、兩年甚至超過省立桃園醫院。自從購置 CT 後，天成醫院也成為桃園南區重大車禍與高速公路車禍的首選醫院。直到 1997 年政府規定騎機車要戴安全帽後，頭部外傷病患才明顯減少，這是政府的德政。

有一次，我印象十分深刻，醫院附近的一位商店老闆娘突然倒地不起，以她當時的情況，如果送到較遠的醫院，可能會錯失黃金搶救時間，所幸天成醫院已購入 CT 設備，迅速判定是動脈瘤破裂引起的腦出血，經過緊急處置救了她的性命。

後來，老闆娘到醫院做復健時百般感謝，讓我覺得在鄉下買一台電腦斷層攝影，真是值得。

這樣的經驗更讓我相信，醫院要有專業的醫療服務並捨得投資醫療設備，才是真正的仁心仁術。

## 桃園第一台賓士加護型救護車

桃園產業聚集，工商業活動興盛，人口眾多，民眾自駕摩托車、汽車往來各區，加上城市蓬勃發展，公共工程、商辦、住宅大樓一棟棟地蓋，砂石工程車在路上奔馳的畫面所在多有，也因此經常發生碰撞意外。

2007 年，天成醫院購入當時最先進的救護設備賓士加護型救護車，全國總計僅有三部，而我們是其中之一，也是桃園的第一家。車上設置完善的行動救援及醫療急救器材，除了可為病患提供快速運送，並增加黃金救援時間，達到極佳

桃園第一台賓士加護型救護車，即是天成醫院購入的。

的醫療救護品質。這樣的資源投入，提升了天成醫院的緊急救護能力。

有些坐過救護車的病患康復回診時，他們和家屬都非常感激天成醫院，甚至笑稱，生平第一次坐賓士車，就是天成醫院的賓士救護車。

---

2 天成醫療體系：
1990 年　楊梅天成醫院
1994 年　楊梅天慈醫院
1994 年　中壢天祥醫院（2000 年併入天晟醫院）
2000 年　中壢天晟醫院
2004 年　楊梅（新）天成醫院
2024 年　中壢（新）天祥醫院

2016 年起陸續新建長照機構——醫養合一的實踐：
2017 年　金色年代新街日照中心。
2018 年　內壢金色時代住宿長照機構。
2019 年　成立金色年代長照機構，桃園第一家獲准設立的長照社團法人。
楊梅天成醫院附設護理之家。
龍潭天慈日間照顧中心。
2020 年　中壢金色年華綜合長照機構。
楊梅天成日間照顧中心。
2024 年　金色年代龍岡日照中心

# 帶著家人支持，迎接不同挑戰

創業初期，兩個孩子分別只有 3 歲和 1 歲。他們上小學時，就讀中壢天晟醫院對面的新街國小，我可以方便地接送上下學。許多朋友認為孩子應該送到台北的私立小學就讀，但我選擇讓他們在附近的公立小學接受教育。

我在醫院附近裝修了一棟樓供父母居住，以便照顧我的孩子，讓我能夠專心投入事業發展。我想起了一位日本女作家的自述，她的父母也住附近幫忙照顧孩子，讓她能夠專注在工作上。她認為有孩子的女性，如果可以得到父母的支援是非常幸運的，我深有同感。

我的父母在退休後，幫我照顧三個孩子，我請了一位 24 小時管家幫父母打掃、煮飯，讓他們能有較多時間照料三個孫子女，我由衷地感謝我的父母。

## 留在故鄉發展不移民

1990 年代，《1995 年閏八月》一書引發了台灣的移民潮，眾多親戚朋友紛紛移民。

當時，我和夫婿正處於創業的高峰期，工作十分忙碌，決定留在台灣發展，不移民，但為了培養孩子的國際觀，每年寒暑假都會帶他們前往加拿大和美國，提供孩子們在國際上學習成長的機會。

還記得當時，連續幾年，我陪伴兩個年紀較大的孩子及剛出生的小女兒，就像候鳥一般，夏天遠赴美加、冬天前往澳洲度假學習。由於往來太過頻繁，有一年暑假，我們在溫哥華機場碰到接機的旅行社人員，他們還誤以為我們已經移民加拿大了。

每年暑假抵達溫哥華時，我都會直接到機場地下室租車。記得第一次我在溫哥華市區開車時，父母嚇得兩腿發抖，一直在座位上幫我「踩煞車」，並非我開得太快，而是他們不放心我在外國街道開車。

整個暑假，我負責接送孩子上暑期學校，每天前往大統華超市（T & T Supermarket）買菜，在家做飯讓小朋友能吃到家鄉菜；也會購買一份《世界日報》，讓我的父母可以透過中文報紙，知道國際上和家鄉發生的事。

那時我們遇到許多台灣移民，孩子們也會在課餘時間，和當地的台灣移民或親戚朋友的孩子交流學習。

當時正好處於大量香港人移民的時期，導致溫哥華的房地產市場非常熱絡。許多朋友建議我移民溫哥華，並購置房產投資；然而，我還是選擇在台灣發展，因為台灣才是我的故鄉。

溫哥華曾經是香港和台灣移民的首選地，吸引了大量的亞洲移民定居。

中國大陸改革開放後，美國和加拿大的中國移民變多，台灣的移民人數漸漸少了，甚至許多年紀大一些的，紛紛搬回台灣居住。他們選擇回台，大半是因為台灣醫療水準高、看病容易和全民健保的便利性。

2010 年，我在波士頓哈佛大學上 CEO 課程。課程結束後，我需要分別送三個娃兒到英國倫敦和美國上課。短短兩個月內，我連續在紐約機場轉機六次，這讓機場工作人員對我和家人印象深刻，好像已經認得我們，有位機場人員和我的小女兒說又見面了。

## 選擇正確的教育理念

我的三個子女，大女兒在台北醫學大學畢業後，前往美國攻讀埃默里大學（Emory University）取得公共衛生碩士學位；完成學業後，又進入台灣大學公共衛生博士班繼續深造。二兒子和小女兒則各在 13 歲時，就被送到英國倫敦附近的寄宿學校就讀 GCSE 和 A-Level 中學課程。

經過幾年的學習，兒子考上英國倫敦大學學院（University College London, UCL），2010 年他進入 UCL 時，該校在「QS 世界大學排名」（QS World University Rankings）為全世界排名第四，後來他從 UCL 大學（undergraduate）一直念

到研究所畢業，而小女兒則進入布里斯托大學（University of Bristol）就讀。

在英國留學的兩個孩子，曾被老師問起家長的職業。他們說父母在台灣經營醫院時，老師們都露出驚訝的表情說，英國大型醫院幾乎都是公立醫院，經營醫院需要有雄厚的資本與實力[3]。

回顧過去，我愈來愈相信我們夫妻在孩子教育方向的選擇是正確的。

孩子們上國中之前，每年我都會定期陪伴他們到國外學習，同時也提升了自己的見識。等到他們中學之後，便逐步放手讓他們獨立在國外求學，之後進入國際知名大學。

許多醫師、企業家朋友的孩子和配偶都住在美國或加拿大，留下爸爸在台灣工作，一般人稱為「內在美」。實際上，在中壢有一條診所、藥局的街，許多的醫師家庭都移民美、加、紐、澳地區，我的親戚和朋友也不例外。

## 兒女完成學業回國接班

很多人羨慕我，孩子們在國外完成學業後，各自在國外累積了三、四年的工作經驗，還是願意回國投入我的事業，他們抱怨自己的孩子不願回國接班。

我認為三個小孩願意回台或回到我自己的事業上工作，或許是因為我在孩子們年紀還小時，先讓他們在台灣接受基礎教育，了解自己國家的語言、文化和歷史，等到 13 歲心智

（上）兒女在國外讀書時，我經常飛去陪伴。圖為參觀小女兒在英國中學的寄宿學校。
（下）兒子的學校 UCL，日本前首相伊藤博文為該校校友，紀念碑上有伊藤博文的名字。

略為成熟時，再送他們出國念書，這樣是不錯的教育方式。

在孩子們出國念書前，寒暑假我都會專程陪著他們出國學習；當他們在國外讀書時，我則每年多次飛到倫敦陪同孩子們念書。我給他們一個觀念：學成後一定要回國來幫助爸爸媽媽的事業。過去十多年來種下的善因，如今得到甜美的果實，孩子們真的很配合，願意回國就業，並在天成醫療體系工作和發展，讓我感到非常欣慰。

韶光荏苒，見證到百年樹人教育的重要，兒子在 UCL 大學學習，頗有英倫紳士的翩翩風度，小女兒也已醫學院畢業，大女兒則早在美國完成學業。

在我擔任立法委員之前，已經培訓大女兒與兒子在體系內部從基層做到中階主管，如今大女兒回國十二年，兒子也回國工作九年，在家族事業中已能獨立作業，我可以放心追尋第三人生，實踐我為台灣社會做更多事的心願。

2023 年 6 月再度造訪倫敦，和孩子們拜訪他們之前在英國求學的中學和大學，看到英國對學術和教育的投入，值得我們學習。此次英倫之旅，不僅是一次懷舊之旅，更像是孩子們成長的總成績展現。看到他們的努力與表現，做為母親的我，深以他們為榮。

## 第一代就創辦的區域教學醫院

美國國家地理頻道的紀錄片《亞洲新視野：台灣醫療奇蹟》曾報導，台灣醫療品質全球排名第三、亞洲第一。2014

年，英國匯豐銀行（HSBC）也做過一份海外醫療服務現況調查報告，其中台灣的醫療品質被評為可近性最高，也就是醫療品質高、負擔能力高。

夫婿徐萬興醫師博學多聞，常有很多獨到的見解，早在三十多年前就已經提出「把健康送到您家」的理念，而天成醫療體系一直以此為志業，近年來更透過居家服務、遠距醫療、送藥到府模式，讓更多病患能享受到更貼心、更便捷的醫療服務。

做為醫療體系的經營者，我們總是觀察並蒐集各國醫療體系的相關資料，與台灣的現況進行優劣勢評估。

台灣醫院與其他國家醫院的經營有很大的差異，夫婿說台灣醫療是集社會主義、資本主義和共產主義的三者混合制。私人醫院是由民間的資金創辦醫院，但不管是公、私立醫院給付都由政府決定，是全球特殊的醫療制度，民眾滿意度是全球最高，卻苦了醫療從業人員。

台灣的醫療體系採取分級制，2023 年全國有 23 家醫學中心、區域醫院 80 家、地區醫院 312 家，全國醫院總數共 415 家。

全台灣 80 家區域醫院中，包括公立醫院 28 家，宗教與財團法人醫院 31 家，私人經營的區域醫院只有 21 家（其中私人醫院 10 家、社團法人醫院 11 家）。

## 台灣醫療體系市值可觀

**台灣各層級醫院市值具備中型上市公司規模，因此經營者也會受邀成為上市櫃公司及企業家協會會員。**

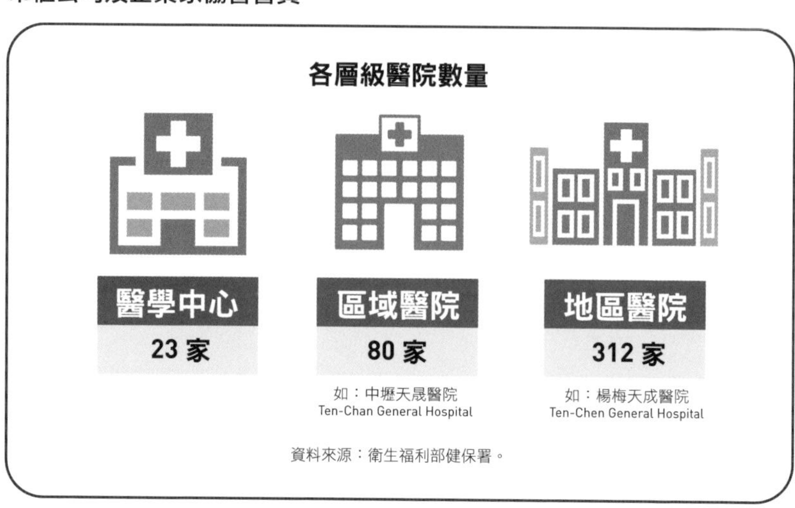


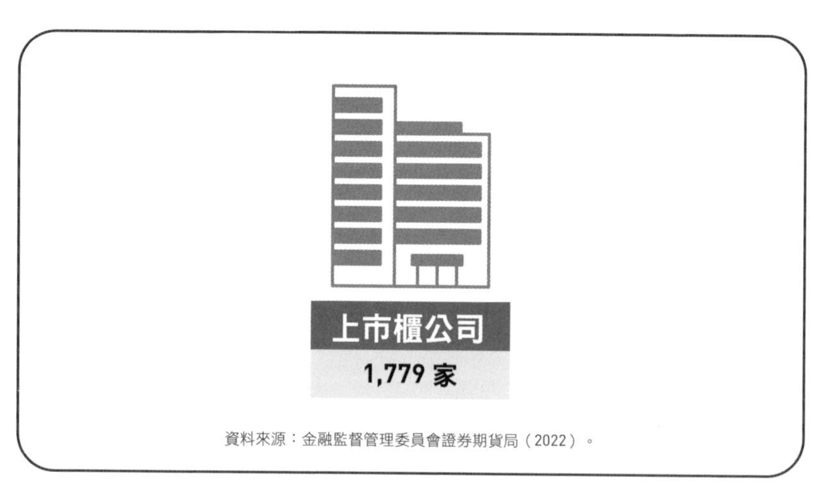

值得一提的是，社團法人和私人經營的區域醫院幾乎都是家族經營，大部分已經傳承至第二、三代甚至第五代，中壢天晟區域教學醫院則是我和夫婿第一代創立。

## 台灣醫院和上市櫃公司的比較

在經營模式上，台灣醫院重視永續經營，不鼓勵上市，這與美國及中國大陸，政府鼓勵醫院上市的做法有所不同。

事實上，以美國知名連鎖醫院營運商 HCA 為例，2023 年 4 月 6 日當日的股價達到 270 美元，甚至長期超過蘋果公司（Apple）和科高（Google）的股價。

台灣上市櫃公司有 1,779 家，醫學中心和區域醫院總共只有 103 家，但這些醫院的市值或營業額大都已達中型上市公司的規模，因此醫學中心和區域醫院的經營者或院長，大都會受邀成為上市櫃公司及企業家協會的會員[4]。

---

3 英國的國民保健署（National Health Service, NHS）為英國國民及居民提供免費醫療服務，包括門診、急症及專科，香港當年建立公共醫療體系也是以 NHS 為學習對象。私人診所及醫院較昂貴，專注專科轉介，只有 8%的人口使用，英國社會中很多富人也使用 NHS 服務。

4 桃園企業聯合會（簡稱桃企會）成立於 2016 年。理監事除了上市櫃公司的老闆，也有多位醫院經營者。每次會議或活動時，參加的有桃園市上市櫃公司董事長，同時邀請位於桃園市的長庚醫院院長、副院長與行政中心高階主管，以及桃園市的區域醫院董事長和院長們參加。

# 第二章

# 實踐

# 一家與眾不同的醫院

「健康、真愛、天成心」是天成醫療體系的核心價值，代表我們對病患的承諾和責任。我們深信，健康是人類最重要的財富，真愛是最美好的情感，而天成心則是對病人真心的關懷。

夫婿常說「平常心就是佛心」，意謂著我們要以平常心行事，不需要刻意表現。身為醫療人員，我們自然而然會站在病人的立場去考慮問題，了解他們的需求，還要能洞察病人在治療過程中及出院後可能遇到的困境。

回想創業初期，剛開始經營楊梅天成醫院時，我偶爾會和夫婿意見分歧，但並非因為彼此經營理念不同，而是因為我發現有些病患看完診後，夫婿會在他們的病歷上批注文字，囑咐同仁不要收費，甚至給予病人折扣或退費。

曾經有病患來看診兩、三次，夫婿知道對方經濟困難，而且生活也有問題，他批示這次看診要減免費用，還要把之前已繳交的醫藥費部分退還給病患。員工曾說：「在醫界工作多年，還是第一次遇到退費給病人的醫院。」

一開始我並不太能接受這種做法，當時我想的很單純：「我們才剛買下醫院，還有貸款，能不能等我們先還清貸款、事業更為穩固之後，再去減免病人的費用？」經過多次溝通，夫婿仍然堅持他的做法。

他不僅照顧病人，也一併關心病人的家屬。

## 病童家長的衷心感謝

有一次，一位患有腦性麻痺的小女孩從其他醫院轉到天成醫院，她因為多次吸入性肺炎導致呼吸困難，需要住院並轉至加護病房治療，在沒有全民健保的年代，醫藥費、住院費等各種費用，對家長來說都是沉重的負擔，女孩的父母告訴我們，醫療費用已經耗盡了全家積蓄。

儘管知道女兒的病情無法治癒，父母仍然不捨孩子，每次病發都會送到醫院接受治療，他們除了白天工作外，還在楊梅擺攤風雨無阻地做生意，由年邁的阿嬤留在天成醫院照顧孫女。

夫婿得知此事後，便在小女孩的病歷上特別注明，暫不收取住院費用。有一天，他查房時發現阿嬤年紀很大，行動不方便，於是夫婿吩咐同仁要為阿嬤提供免費三餐，讓老人家能夠安心照顧孫女。

一般而言，那時的醫院，在病人住院一段時間後，都會按照慣例先收取部分費用。由於小女孩需要長期住院，原本應該向家屬收費，但夫婿考慮到對方的經濟狀況，此時若收取住院費用，恐怕會迫使他們離院，不能繼續接受治療，因此特別交代行政人員，將小女孩的住院費、醫藥費等暫時全部免收。

當時，我雖然有些不解，但夫婿希望小女孩能繼續住院治療，她的家人暫時不用擔心醫藥費，所以我還是同意了。

大約一個多月後的一天早上，小女孩不敵病魔而離世，當時我在辦公室，知道後心中很不捨，這時，有人敲了我辦公室的大門，一開門，原來是小女孩的父親，他一見到我就想跪下表示謝意，我立即將他扶起。

這位父親紅著雙眼，感謝天成醫院讓他的女兒接受好的治療，沒有因為沒繳費而趕走他們，讓女兒能安詳離世，說到激動處，甚至流下男兒淚，並感激醫院同時照顧他母親的三餐，他說這份恩情這輩子不曉得如何償還。

病童父親感謝的一番話，觸動了我的心，讓我很感動，也明白了夫婿身為醫師所秉持的「仁心仁術」行醫理念。

夫婿對於貧困家庭很有同理心，認為若非真的走投無路，他們不會欠醫院救命的費用，在夫婿看來，每一位病患的背後，都有一個家庭期盼著他們能健康出院。而醫院救人的責任，更是何等重要！

三十年前，我和夫婿創辦天成醫院時，台灣尚未實施全民健保，常遇到許多清寒家庭，也因此，我開始了解經營醫院對病患的關懷，就是所謂的同理心，這其實就是醫療的核心價值：以病人為中心。

此後，我和夫婿的不同看法逐漸減少，甚至有時候不用他開口，我便主動關心病人的經濟情況，若有民眾一時負擔不起醫藥費，會請他們先領藥出院；而當欠款病人出院一段時間後，如果經由回診追蹤病情，發現他們仍生活拮据，付不出住院費，我們會讓他們先領藥回家。

記得有一次同事們送病患回家，發現他住在燈光昏暗的陋室，生活很艱苦，得知此事後，我將醫藥費欠條收起來，不再追究。後來，若是病人超過一定時間沒來付款，我們就會把欠條集中燒掉。夫婿說，既然沒來付款，表示一定有困難之處。燒掉病人欠條這件事，我們也沒有對外說，只有一小部分同事知道，很可能是受到我們照顧的病人或家屬向外說的，這些事情便漸漸地在地方傳開，有人稱讚天成醫院有古代的「焚券」精神。

常常有病人說，徐萬興院長看病就像心理治療，甚至夫妻吵架也會在看病時哭訴，徐院長總是耐心地聽完病人的話，但也有人抱怨，徐院長的診總是要等很久。面對各種不同的評價，夫婿回應：「我們要給病人多一點的時間。」所以夫婿看診時，候診區總是排滿了病患。

我們的第一家醫院，位於有著濃濃人情味的楊梅鄉下地區，許多曾經受到我們幫助的病患或家屬，常會拿著自己飼養的雞、鴨或親手製作的醃蘿蔔、客家酸菜、福菜等，送到醫院給我們，甚至曾有人送來一大早採收的新鮮蔬果。鄉親們心存感激，常常在送東西時說：「不好意思，這些都是粗俗之物，希望你們不要嫌棄。」但我們心知，這些禮物絕不是粗俗之物，而是一片真心誠意。

## 獲利可以慢半拍

多年來，我們的醫療團隊一直秉持「以病人為中心」的精神，雖然利潤不會立竿見影，但我們相信長時間經營之後，不只是實質利潤，收獲到的是更多民心、口碑、名聲、友誼等，這些都是無價之寶。

在地深耕一段時間，我們發現民眾對各種科別的需求不斷增加，便逐步增設各科門診。對當時人口不多的楊梅地區來說，開設次專科成本較高，肯定不符合經營成本，但我們還是堅持開設，讓民眾可以在地就醫。

曾經有一位年長病人告訴我，在天成醫院成立次專科之前，他們每半個月就得包車遠赴台北看病拿藥，但現在只需隔幾條街就能看病，省去了舟車勞頓之苦。每當聽到鄉親的回饋和感謝，我們都感到非常欣慰。

這些經驗讓我深刻領悟出經營醫院的道理：不能只考慮當下的獲利，要以病人的照顧為出發點，獲利會慢半拍而到。夫婿常說，我們是「從無到有、以有為本、將本求利、本利相生、生生不息」，決定把獲利持續投資於醫院，包括提升醫療設備、增加同仁薪資福利、打造優質醫療環境等，這樣才能生生不息，形成善的正面循環力量，為病人、員工與醫院創造多贏的局面。

在團隊的努力下，天成醫院逐漸成為楊梅地區民眾信賴的醫院。許多病患及家屬都把我們當成自己的家人一樣，在端午節、中秋節、聖誕節、春節等節日時也會想到我們，送來粽子、月餅、感謝卡片等，讓我們深切感受到民眾對醫院的信賴，也更加堅信「健康、真愛、天成心」的理念與核心價值。

## 加入健保，支持政府政策

想方設法提供病患先進完善的醫療服務，是我們身為醫院經營者的職責，而配合中央政府立意良善的政策與制度，也是為民眾建構安全醫療網絡的具體實踐。

1995 年，政府正式推動全民健保，當時衛生署署長張博雅，是我和夫婿在高雄醫學大學公共衛生學的教授，制度上路之初，張署長希望各醫院能支持這項政策。

然而，當時各級醫療院所都還在觀望中，桃園地區的醫院也不例外，除了天成醫院已經簽署支持，其他醫療院所多半希望制度健全後再加入。

我和夫婿之所以會率先支持政府的醫療政策，是因為考量到這樣能為病人帶來便利、可提高病人就醫可行性與可及性；只要對民眾有利，我們便會全力支持。

## 媲美飯店的醫院

新建楊梅天成醫院、中壢天晟醫院時，夫婿忙於醫療業務，興建工程事項幾乎都是由我主導，時常與建築師、設計師討論工程設計，由他們畫施工圖。之所以如此親力親為，實地參與醫院設計，就是想改變一般人對醫院充斥藥水味、酒精味、外表冰冷蒼白的看法，我希望能讓病人與家屬在門診和住院期間，感受到如同在家一般的舒適與溫馨。

以前，人們對醫院的印象還是冰冷有距離感。2000 年，中壢天晟醫院開業，民眾第一次進入醫院時，大家都眼睛一亮，因為看到的是挑高八米的大廳、大理石地板和美術吊燈，就像是星級飯店一般。這是因為我和夫婿創辦醫院時，大膽聘請飯店的設計師，並要求大廳挑高，使用明亮、現代感特色的裝潢和設備，屋外的夜間照明，則採用我在溫哥華旅遊學到的維多利亞式街燈設計。

同樣地，2004 年新建楊梅天成醫院，位於幼獅工業區不遠。有趣的是開業不久，一位日本企業的董事長來到台灣，司機開車經過醫院時，他看到一棟非常吸引人的建築，直接指名要住這家飯店，但當司機告訴他這是一家醫院時，日本董事長感到非常驚訝。之後，也時常有路過的觀光客誤以為這裡是飯店，闖進來要辦理入住手續，這些有趣的小故事都證明了天成醫院的建築設計真的很像飯店。

除了外觀、裝潢和設備像飯店之外，天成醫院的管理也和飯店一樣，重視客戶的感受。

## 賓至如歸的醫療服務

現在的醫院愈來愈重視醫療服務，然而早在健保制度實

為了降低醫院給人冰冷與距離感，楊梅天成醫院的大廳（左）及外觀（右）在裝潢上注入明亮的現代風格，給人一種星級飯店的感受。

施前，天成醫療體系就已經實踐醫療服務業化。

從小我經常陪著阿嬤看病，對於「看醫生」有不同的體會，有些醫師雖然很專業，但看診時間短，讓人產生距離感，其實就算再有名的醫師，都比不上看病親切，願意花時間仔細聆聽、解說的醫師，所能帶給病人的信任感。

或許正是從那個時候起，「醫病」也要懂得「醫心」的種子，就已經深深植入我的心中。我時常提醒醫護同仁發揮「視病猶親」的同理心，以病人為中心，同時要考慮到照顧者與被照顧者的需求。

軟體上，我要求行政同事要有為他人著想的「軟實力」精神，從病人掛號那一刻起，就要帶入服務精神，讓病人與家屬感受到尊重，為病人打造從門診到住院的 3H（Hospital、Hotel、Home）體驗，即使在醫院，也能有像飯店環境與家的溫暖。

例如躺在病床上即將進入開刀房的病人，往往會因為覺得寒冷而害怕，醫護同事們會主動給予保暖的毯子，並握住病人的手，給予溫暖。

## 商務艙教我的事

事實上，這種以服務為中心的經營理念，有很大部分是源自我參與父母親貿易事業的經驗。

我的父母從事日本貿易的生意，公司業務需常赴日本洽商，我也有機會跟隨父母前往日本，這些經歷對我的經營理念影響深遠。

高中寒暑假我隨父母到日本出差時，每當日本老闆與父母一同進入辦公室時，員工總會起立致意，我們坐定後就奉上熱茶，「不會太熱、不會太滿地奉上一杯茶」，這種用心的態度，讓我領悟到日本人尊重客戶的文化。

這一觀念深植我的心中，並影響我經營醫院的理念，在服務業中的「以客為尊」，與醫院「以病人為中心」的原則是相似的。

有一次，父母的日本行程結束後，商社老闆與我們搭同班飛機來台。原本商社老闆是搭商務艙，我和父母則搭經濟艙，但是日本老闆為了方便和父母洽談合作事宜，主動和我交換座位，讓我去坐商務艙。

當時我不知道客機有經濟艙和商務艙之分，一走進商務艙，驚訝地發現那是一個和經濟艙完全不同的世界。商務艙的座位空間大、位置比較少，空中小姐以幾乎半蹲的方式為乘客提供服務，餐點像高級餐廳般一道一道地上，親切周到的服務方式，讓我感到備受尊重和禮遇。

這次的經歷對我產生深遠影響，我了解到，讓客人感受到商務艙等級的待遇，這在醫院經營中也很重要，除了提供一流的醫療專業，也要為病人和家屬提供優質滿意的服務。

## 奉茶文化

從掛號那一刻起，就是我們醫療服務的開始，包括病患與家屬的感受、員工服務的態度以及就醫環境等，都是必須設想到的細節。

舉例來說，奉茶文化是天成的傳統，行政同事們每天早上都會端著溫熱的茶給門診病人與家屬，病人從一杯茶感受到天成服務人員的溫度、濃度和態度，以及天成的熱忱用心，這是病人、家屬和醫療團隊互動的橋梁。

天成醫療體系是第一家推出奉茶服務的醫院，後來，當我們知道有愈來愈多的醫院也像天成一樣推出奉茶服務時，我感到十分欣慰。直到 2020 年百年大疫情，才因為防疫暫停奉茶服務。

天成醫療體系溫暖服務的奉茶文化，已經成為一種獨特的企業精神。

除了在院內打造奉茶文化，住在桃園中壢或楊梅的民眾，對「袋鼠專車」肯定非常熟悉。

## 象徵溫暖守護的袋鼠專車

2000 年，中壢天晟醫院成立之初，我們購置了六輛小巴士，並於車體上繪製袋鼠圖案，行駛在南桃園，提供六條路線免費接送服務，採隨招隨停，方便民眾就醫。

一開始，每當袋鼠專車行駛在路上，小朋友看到車上的大袋鼠圖案時，都會興奮地揮手打招呼，以為「袋鼠專車」是兒童樂園的接駁車。

天成醫療體系的袋鼠專車，深受楊梅及中壢地區居民歡迎，許多孩子看到都會興奮地揮揮手。

選擇袋鼠做為天成醫療體系的吉祥物，是因為袋鼠一躍數公尺，代表著天成後勁強又有活力；袋鼠腹部特有的袋子裝著病歷簿，象徵著我們充滿愛與關懷，守護在地居民。

多年來，免費接駁車的服務一直受到長者喜愛，並持續至今。年長者可以在車上與同齡的人聊天、互相關心，透過人際互動，開展自己的社交生活。根據哈佛大學一項研究，保持與人互動可以減緩老化，袋鼠專車不僅方便民眾就醫搭乘，而且能在車上與其他乘客交流，維持心理健康，因此載客率一直很高。

這些立意良善的服務細節，不僅需要投入資源，也必須獲得員工的認同，才能切實執行，我很欣慰的是，醫院的同仁們都能體會到我的用心，並內化成為天成人的 DNA。

這讓我想起，在西班牙上 IESE 商學院 CEO 課程時，前往最著名的 ZARA 服裝店實地參訪的經驗。

ZARA 是非常知名的西班牙時尚品牌，設計師會親自到賣場了解顧客的需求。這種到現場去感受的體驗式管理對我影響很深，在天成醫療體系的經營中，我也一樣高度重視「走動式管理」，要求主管們不能只是待在辦公室開會、看報表，必須走進第一線的醫療現場，了解需求，解決問題。

# 打造如回家般的溫馨工作氛圍

1990 年，我們剛經營天成醫院時，醫院四樓有一個相當大的廚房和員工餐廳。廚房裡有一個傳統式的大鍋爐，用瓦斯燃料煮飯。我們請了一位阿嫂和兩位洗菜的員工一起煮飯，大約有五十多位同事和三十多位病人需要用餐。

員工餐廳有四、五張圓形餐桌，每天同事們一起用餐，大家邊吃邊聊，氣氛很熱鬧。然而，某一年的年初三，有位同事在用餐時抱怨：「過年這幾天每天都吃一樣的菜。」阿嫂聽到後，當場放下鍋碗瓢盆，憤然離去。

那天晚上阿嫂不來，沒人煮飯，我立即和幾位行政同事去附近的超商買菜，開始煮大鍋飯和炒菜。

其實，念大學之前，我偶爾會做家事，但從未煮過這麼多人的飯。我向母親請教如何煮過年的菜餚，她教我用燉煮雞、鴨的湯汁，加上一點薑和長年菜一起煮，煮得愈久愈好吃，此外，炒菜時加入一點香油也會增添風味，這些都是我在那段時間學到的做菜技巧。

或許因為我是煮菜新手，菜色也比較不同，同事們都很捧場、說好吃。這段經歷讓我體會到「校長兼撞鐘」的感受，也是一次危機處理經驗。

連續煮了十幾天的大鍋飯之後，直到元宵節，我們才找到人來接手。在那段時間裡，大家共同用餐使彼此的感情更加深厚。新的廚師報到後，我們建議他要讓同事和病人吃得好、吃得健康，每天菜色都要有變化。日後，天成醫院有一些活動都喜歡採用辦桌方式舉行，與當時的經歷息息相關。

1990 年代，沒有現在這樣便利的團膳公司，有提供員工餐的中、大型企業都是請廚師來公司煮飯。後來，楊梅地區開了一家團膳公司，我們便將醫院伙食交給專業負責。這家公司非常認真，做出的便當美味又豐盛，同事們都很喜歡吃。後來他們根據我們提供的營養處方，學會做病人餐。

更有趣的是，團膳公司的廖老闆後來生意十分成功，接下很多公司的團膳業務，還在楊梅開了一家「首烏之家」客家餐廳，吸引很多外地人來品嘗客家菜。我的朋友們有時到揚昇高爾夫球場或楊梅附近的高爾夫球場打球，結束後常常去「首烏之家」用餐。我偶爾也跟同事們一起去，廖老闆會安排包廂並親自接待我們。因為長年的合作關係累積下來的好友誼，我十分珍惜。

## 打造幸福企業

天成醫院開業後，業務蒸蒸日上，為了感謝同事們，醫院決定安排出國旅遊，第一次的地點選擇了美國。

三十年前，台灣人的旅遊風氣還不像現在如此興盛。對很多同事來說，還是第一次出國，有同事告訴我，他人生中的第一本護照，就是在天成醫院工作時辦的。當時在楊梅地區，企業組團、專門請一位導遊帶隊犒賞員工，算是個創舉，我跟夫婿也親自參加了這趟美西旅遊。

由於整團都是醫院同事，行程可以自由調整。我們給美國司機、導遊多一點小費，請他們增加景點，讓第一次出國的同事們能盡情玩樂。這種包團出國，可以自由安排行程，又不會強迫購物的方式，讓同事們感到非常滿意。

2023 年的旺年會上，夫婿徐萬興（右四）頒發金牌和獎座給年資超過二十五年的同仁，感謝大家多年來的付出，現場既溫馨又感人。

夫婿深知同仁們工作辛苦，希望給他們最好的鼓勵，還記得 1996 年過年前，我們送給當年度表現優良的同事們每人一支勞力士手錶，有些同事到現在手上仍戴著我們送他的禮物。

有幾次的旺年會，我們提供百萬名車做為抽獎贈品；2023 年的旺年會上，夫婿頒發金牌和獎座給一百多位年資超過二十五年的同仁，當時他紅著眼眶致詞，感謝大家多年來的付出，現場既溫馨又感人。

## 經營的挑戰

從事醫療工作三十多年來，難免會遇到一些糾紛，某些突發狀況，甚至讓同仁們感到不安和恐懼。

記得剛開業的那段時間，由於醫院業績很好，引起流氓覬覦，他們來到醫院強索保護費，要求我們繳交醫院十床的收入。我們當然不肯，勒索不成，這群人惡意踹我的辦公室大門，意圖恐嚇。

面對這種危險狀況，我雖然心中害怕，但仍勇敢地面對幾名彪形大漢，以無畏的態度嚇阻他們，同事們和楊梅鄉親都讚揚我的勇氣。

這次經驗也讓我深刻體認到，地方治安與事業發展息息相關，便積極與地方警察合作，主動參與地方治安的義務工作，在 1994 年還擔任了楊梅警友會會長，至今都與警察相關單位維繫良好的互動關係，各自從不同的角度，守護社區。

開，就診人數快速成長。夫婿考量每個月支付三十二萬元的租金實在太貴，於是想要貸款買下這家醫院，把付利息當成付租金，就等於擁有了自己的不動產。

經過多次評估和洽談，我和母親與地主達成協議，成功買下了這家醫院，成立楊梅天成醫院，「天成醫療體系」的版圖從此開始。

當時的楊梅還只是鄉鎮，沒有大型的醫療院所，因此，當地鄉親們對於醫院的期望，主要著重在醫療的便利性和信任度。

夫婿出生於農家，相當了解在地文化和民情，看診時很有親和力，常與鄉親們閒話家常。他這種接地氣的性格，深受地方上病人和家屬們的喜愛。身為院長的他，也帶動了天成醫院其他醫師們看診的態度，因此，鄉親們都覺得天成醫院的醫師們醫術好又很親切，更願意留在楊梅看病，不必再遠到桃園市區或台北看診。

**創新求變的醫院**

入駐楊梅天成醫院後，我主要擔任總管的角色，夫婿則是白天在省桃看診，傍晚回來坐鎮。夜晚，門診結束後，我常坐在大廳思考，還有哪些部分需要改善？哪裡可以更好？

也許因為高中時多次陪同父母到日本企業參訪，或是我在外商的工作經驗，讓我對環境有更高的敏感度和要求，希望每天都有進步和創新，讓病人感受到我們的用心。

# 我的經營理念

楊梅天成醫院業務量不斷增加時，父親建議我們可以到中壢擴建，並提供一塊商業用地，同時幫忙購入緊鄰的十多間店面，做為中壢天晟醫院的預定地，希望能提供中壢地區居民專業完善的醫療服務。

1998 年我們決定興建中壢天晟醫院，醫院動工時，時任桃園縣縣長呂秀蓮親自參與執鏟動土。

當家人們知道我想將中壢天晟醫院建造成地下四樓、地上十一樓的大樓時，紛紛反對，因為地下四樓成本非常高。我認為天晟醫院位於商業區，土地成本昂貴，又鄰近百貨商圈，我的著眼點不只在成本，而是未來，此處勢必成為中壢地區重要的中心點，應該擴大使用效益。

## 完善多功能的硬體設備

中壢天晟醫院後方是新街溪，我們採用較安全的地下連續壁方式興建。以當時的施工成本而言，連續壁的工程費用很高，但我們依然選擇這種建造方式，相當捨得。之後證明這個決定是正確的，因為如此一來，我們可以充分利用寶貴的土地資源，為醫院未來發展鋪路。

不久，在天晟醫院旁邊，我們又蓋了另外一棟大樓，並在大樓地下室建造一個國際會議廳，邀請台北的金倫設計公司進行規劃，使其成為當時中壢唯一的國際會議廳，可容納兩百多人，配有翻譯設備和高級音響，還有一間可容納五十人的中型會議室和接待區，適合舉辦派對或慶祝活動。

家人認為我在國際會議廳和會議室投資太多成本，覺得只要有空間開會即可；我的看法是，會議廳或會議室都是學習的重要基地，優質設備更不能少，所以堅持興建。

後來也證明我的決定是正確的。國際會議廳和會議室成為同事們頻繁使用的空間，非常值得。每年在國際會議廳也舉辦一系列課程、研討會和演講，對於提升員工的專業知識和技能非常有幫助。

中壢天晟醫院的國際會議廳啟用時，由於附近工業區有些科技公司規模不大，我們也經常免費借給他們使用，還因為國際會議廳在設計和使用上深受好評，而獲得 2000 年 5 月號《當代設計》雜誌報導最佳會議廳獎及最優質環境的醫院[5]。

## 重視人才培育

天成醫療體系很重視學習與進修，特別是對於醫事人員而言，必須與時俱進地掌握最新科技新知。因此，我在內部創立天成企業大學，讓工作繁忙的同仁們得以進修並提升職能。國際會議廳很適合做為學習上課的場地，我們與元智大學商學院合作，設計 EMBA 課程，逐步建構起天成企業大學的學習模塊，讓同仁們有方便的進修管道。

後來，更在元智大學管理學院院長古思明的支持下，請教授來醫院授課，同仁們無須請假也能上課，更不用奔波於學校與醫院之間。為了鼓勵同仁進修，每次在課間休息時，我還會幫學員們準備點心。

我在《猶太人的智慧》（*The Jewish Phenomenon*）一書中讀到，猶太人的母親會在小孩子的第一本書上滴上蜂蜜，讓他們在人生的第一堂課，就體驗到知識是甜美的。我很自豪地說，我就是天成醫療體系的猶太媽媽。

我期待同仁能和我一樣，在學習管理新知時感受到收穫滿滿，並將挑戰轉為甜蜜的經歷，而非痛苦。在種種鼓勵與支持下，有三十多位同仁完成碩士學位，更有許多同事因此提升了人文素養與跨域知識。

人才是企業最珍貴的資產，企業文化則是永續的根基。創新始於學習，天成醫療體系做為一家民間私人經營的醫療體系，將利潤回饋給同仁而非股東，鼓勵員工進修、自我成長，增強專業與國際競爭力。

天成醫療體系的文化價值觀以「健康、真愛、天成心」為核心，重視人才培訓，致力於帶領同仁持續學習。我們相信團隊的軟實力是醫療事業成功的基石，因此，在過去三十多年裡，積極栽培醫、檢、藥、護、行政單位的主管，支持他們在各大學持續進修，除了專業進修之外，亦鼓勵攻讀高階管理碩士甚至博士學位，全面提升體系的醫療服務品質。

此外，自 2000 年起，天成醫療體系更陸續安排高階主管到國內各大學與中歐國際工商學院進修，主辦兩岸企業高峰論壇，透過國際性人才交流活動，擴展同事的國際視野。

## 持續為社會付出

2006 年我們成立財團法人天成雙德社會福利基金會，一方面紀念父親對天成醫療體系的付出，另一方面則是希望培育人才、推動藝術、關心弱勢團體。

基金會成立後舉辦了各種活動，包括贊助弘道失智老人福利基金會路跑活動、台灣失智症協會音樂會及演唱會、獨居老人寒冬送暖、重陽敬老活動、楊梅觀音新屋中低收入戶關懷、桃園市診所健康博覽會及健診公益活動、勵馨基金會「反暴力 讓愛飛揚」慈善音樂會、世界和平會弱勢兒童暑期夏令營、天成醫院小小華陀營、家扶中心親子愛心園遊會，以及聘請專業體適能運動教練，開立中壢與楊梅免費社區運動班推動社區健康營造，連續多年支持新都心生活文化協會、中壢 SOGO 百貨周邊的十八個社區，共同舉辦中秋節飆汗老街溪路跑及聯歡晚會等。

2005 年中央大學 EMBA 畢業典禮，我記得當時的管理學院院長、中大副校長李誠所說「要做一個有教養的企業家」，切忌只做一個會賺錢的機器，同時要對社會付出和關懷。之後，中大連續邀請我擔任兩屆的「企業導師」，定期與管理學院碩、博士生進行座談，將許多自身創業的經驗傳承給學弟妹們。

## 設立獎學金培育人才

2010 年我支持中大，協助管理學院 EMBA 成立「領導講座」、開辦「CEO 論壇」，並培育「中大大使」等。

2015 年設立「中大學術基金會天成醫療體系希望獎學金」，鼓勵中大學生超越困境、自我肯定及努力向學。

我和夫婿都是高雄醫大畢業，因此也在事業稍有成就之際，成立「高雄醫學大學珍珠育美獎助學金」，希望能助莘莘學子一臂之力。

2017 年我參加高醫大校友總會理監事會，教務長林志隆教授在會議上報告高醫大「薪火專案」計畫，希望能獲得校友與企業社會人士助學捐款。當時我很感動。想到三十年前，夫婿徐萬興醫師也是在困難的環境中求學，那時他也是獲得助學貸款，才得以繼續讀醫學院，成為一位優秀的外科醫師。因此當我聽到林教務長的「薪火專案」募款，便捐贈部分助學金，希望能幫助學弟妹們。

兩年後，2019 年 5 月 31 日，台灣大學醫學院與天成醫療體系共同成立「內、外、婦產、小兒科」優秀住院醫師獎學金，以鼓勵年輕醫師從事救死扶傷的重點四大科，時任台

（上）2015 年設立「中大學術基金會天成醫療體系希望獎學金」，鼓勵中大學生，超越困境、自我肯定及努力向學，圖右為中大校長蔣偉寧。

（下）2019 年天成醫療體系與台大醫學院共同成立「內、外、婦產、小兒科」優秀住院醫師獎學金，前排中間為時任台大醫學院院長張上淳，左一則是現任台大醫院院長吳明賢。

大醫學院院長張上淳醫師特頒贈感謝狀。

我致詞時表示，夫婿徐萬興總裁是農家子弟，當年也是以助學貸款完成醫學院學業，現在事業稍有所成，設立獎學金，希望鼓勵年輕醫師。而天成醫療體系的醫師，有三成以上是台大醫學院畢業。

## 扮演守護社區的堅定力量

天成醫療體系長期關注社會公益，為民眾健康把關，我的恩師黃木添退休後擔任家扶中心主任委員，他認為我的事業已有成就又富有愛心，希望能傳承，邀我加入家扶中心擔

家扶中心埔心牧場舉辦寄養家庭感謝活動，桃園市市長張善政（前排左四）頒發感謝狀。

任副主委。從那時起，我學習到什麼是真正的付出和愛心。

擔任副主委期間，我了解到家扶中心為原生家庭發生重大變故的孩子們，提供了一個溫暖的避風港，使孩子們得以早日回到正常生活。為了讓他們能跟一般家庭的孩子一樣，擁有多元學習的管道，我會邀請他們去中壢藝術館欣賞國家交響樂團（NSO）音樂會、前往歷史博物館看畫展、到故宮博物院參觀，甚至請小朋友們吃麥當勞等。

從創業到擔任立委期間，工作十分忙碌，很少有機會與黃木添老師相聚。2023 年 3 月參加家扶中心活動，很高興看到年過八旬的黃老師神采奕奕，健康又有精神。黃老師引導我從自己身上找到愛心和關懷的種子，並有機會將其散播到家扶中心，師生一起做公益，是一種難得的緣分。

---

5 榮登 2000 年 5 月號《當代設計》雜誌報導為「最優質環境的醫院」。飯店式的設計：全院採「醫院即飯店」之醫療服務新觀念，由高雅氣派、潔淨、明亮之設計，給病患一個溫暖舒適的醫療空間。

# 第三章

# 金色年代

# 因應人口老化，投入長照工作

台灣人口老化的現象日益嚴重，已於 1993 年成為高齡化社會，預估 2025 年老年人口占總人口比率 20.8%（附圖見下頁），至 2070 年將達 43.6%，老化的速度追英趕美。正因如此，長照議題近年被討論得沸沸揚揚，甚至已經成為「國安問題」。身為兩家教學醫院和長照事業的經營者，面對人口老化的全球趨勢，我主張以「醫養合一」為長照事業發展方向。

作家簡媜在《誰在銀光閃閃的地方，等你》一書中，描繪了一個想像中的場景：「公園裡擠滿了老人，麥當勞一樓規劃成老人區，兒童餐之外加賣老人餐，公車加開博愛專車，因為博愛座已經不夠用，老人醫院也開張了……」這幅畫面在不久的將來，就會發生在你我身邊。

隨著戰後嬰兒潮這一代逐漸退休，台灣將在 2025 年正式邁入超高齡化社會，聯合國預估到了 2050 年，全世界將會有 20 億的銀髮族群。

在 1980 年代，戰後嬰兒潮世代是社會的中堅力量，當時

## 台灣 65 歲以上人口迅速成長

**我國 65 歲以上人口占總人口比率，於 2010 年至 2060 年間，從各國最低之列到高於其他國家，快速增加。**

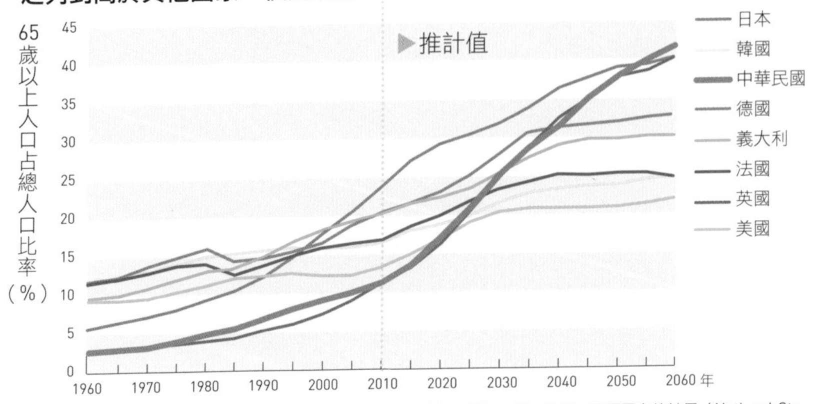


資料來源：中華民國 - 國發會報告；日本 - 日本國立社會保障人口題研究所；韓國 - 韓國國家統計局（National Statistical Office）；美國 -US Census Bureau；英國、法國、德國及義大利 -EUROSTAT。

台灣的扶養比平均每十五位工作人口（15 ～ 64 歲）扶養一位老齡人口；到了 2015 年，已降至每 5.9 位工作人口扶養一位老齡人口。據預測，2040 年比例將進一步下降，每兩位工作人口就需要扶養一位老年人口。

### 向先進國家養老社區學習

做為醫院的創辦人，我格外關注超高齡社會的發展，尤其是沉重的扶養負擔，必然會對國家及人民的財務狀況造成衝擊，而我關注的是如何照顧好長輩的健康和生活品質。

幾年前，長照議題尚未成為公眾關注的焦點，我與夫婿就深感長照議題的重要性，因此經常前往美國、日本、歐洲等先進國家，參訪當地的長期住宿銀髮公寓、日間照顧中心等機構，進行交流和學習。

太陽城中心（Sun City Center）位於美國佛羅里達州西岸，是一個具有代表性的養老社區，始建於 1961 年，占地約 33 平方公里，人口約 2 萬，均為 65 歲以上的銀髮族。社區內設有不同類型的住宅以滿足各種需求，並提供郵局、超市、醫療機構等生活設施。此外，有豐富的社團活動和運動設備，實施全面的安全管理，讓居民享有安全、舒適的生活環境。

考察國內外多家養老社區，我最喜歡位於加州矽谷帕羅奧圖（Palo Alto）的 Vi 生活養老社區，可能是因為我的女婿畢業於史丹佛大學，現在女兒及女婿仍居住在該區，而我又時常造訪有關。Vi 生活養老社區擁有多功能住宅與服務，讓居民可依需求自由選擇，也提供銀髮族生活、護理和醫療照護。其中，位於加州矽谷的這間，在史丹佛大學校區內，強調「生活養老」，方便居民前往校內購物及活動，是一種接近社區化、在地化的照護選擇，值得學習。

就如我心中理想的養老社區，不要離家太遠，唐朝孫思邈早就提到養老適合地點，必在「人野相近」，老年人的住所最好選擇郊區與城鎮互相毗鄰。

## 在地化養老，台北忠勤社區

在台灣，也有推動在地養老的社區，譬如台北市中正區忠勤社區，有一位非常熱心的方荷生里長。方里長表示，他看到的一切都是需求，里民的需求。透過方里長與里民協力合作，將銀髮族群居住比例近 20% 的南機場公寓，轉變為健康樂活的高齡社區，為現階段的養老環境做了很好的示範。

養老環境是台灣銀髮族群必須面對的最嚴酷現實，如何改善現有環境，讓高齡者擁有舒適生活，則是重要課題。忠勤社區的各種規劃，都從年長者的需求出發，考量到老人家不喜歡離開熟悉的環境，社區便安排志工提供送餐服務，讓他們能在習慣的環境中用餐。

里辦公室也成立「健康活力站」，提供物理復健與預防治療功能的器材，讓大家能夠做好日常保健，度過無憂的熟年時光。

南機場公寓社區的例子，充分說明過去的養老院制度必須徹底轉型，社區化、在地化與醫養結合的照護機構，才能符合銀髮族群的生活需要。

## 長者的幸福後盾

天成醫療體系長期深耕南桃園，擁有專業的醫療技術和科技水準，提供市民完善的醫療服務。

在台灣高齡化的社會趨勢下，天成醫療體系落實社區化的醫療服務，成立「金色年代」長期照顧中心，以「全人照護」理念，為社區長者營造能夠找到生命價值、營造在地樂活的友善環境，同時照顧熟齡族群退休後的身心靈健康。

2016 年 2 月，金色年代長期照顧中心正式動工，我的母親是「樂齡者代表」，到場參加動土儀式，展開天成醫療體系以「醫養合一」為新階段的發展目標。

2017 年，天成旗下「金色年代」日照中心開幕，首批 60 個日托名額隨即被搶訂一空。此後，金色年代日照中心、居家服務、住宿型機構陸續開設，皆一位難求。同年，「金色年華」綜合長照機構動工，時任桃園市市長鄭文燦親自參與動土典禮。

老年時代的來臨，長照需求非常龐大，我們必須站在使用者的角度思考，解決痛點，才能提供更妥善的服務。

因應高齡化趨勢，天成醫療體系以醫養合一為新發展目標。2017 年時任桃園市市長鄭文燦（右）參與金色年華動土典禮。

我建議政府面對人口高齡化的危機時，不但要針對老化社會進行全面性的策略規劃，更應該關注熟年以後不同階段的需求，創造各種適合熟年朋友參與的環境，促成跨業交流，鼓勵企業異業結盟，發展銀色商機，才能兼顧「醫養合一」觀念與「活躍老化」理念。

## 醫養一條龍

隨著全球老化趨勢加快，台灣醫療服務板塊發生劇烈變動，「銀色經濟」正在全世界興起，產業發展也深受市場趨勢與人口結構改變的影響。

如果說將大健康事業比喻成一條龍，預防醫學就是龍頭，透過健檢和衛教推廣預防醫學觀念，希望及早篩檢發現疾病，甚至遏阻其發生；醫療院所就像是龍的身體，專注於治療身心疾病，以疾病醫治為主；長期照護則有如龍尾，提供各種養老與照護模式，將失智、失能的發生減少或時間點往後延遲，並在發生後予以照護。

因此，天成醫療體系從關注「全人照護」起步，在龍頭到龍尾的過程中，同步重視預防醫學、疾病治療、養生、醫美、養老等服務。

天成醫療體系的金色年代是桃園市首家長照社團法人，在台灣進入高齡社會之際，便從醫療核心擴展至養護資源的整合，提前規劃以醫療專業為基礎的醫養合一長照布局。

所謂醫養合一，主訴求是讓銀髮族享有高品質的晚年生活，整合醫師、藥師、護理師、營養師、社工師、職能治療師、物理治療師及諮商心理師等，促成不同專業領域的合作，甚至結合 IT 工程師、建築師及科學家等一起投入，期許為銀髮族創造更好的福祉，開創更大的銀髮商機。

我曾受邀至扶輪社專題演講，與在場企業主探討如何將他們的產業與長照發展結合。舉例來說，若是運輸業，可為長輩提供接送服務；若是服飾業，可開發長輩需求的衣物；若是餐飲業，要規劃更多適合長者咀嚼、美味健康的餐點及送餐服務。

交流的過程中，我發現台下的企業主們對長照領域很有興趣，並從中看到研發養老產品的新契機。我提出不同領域進入銀色經濟的建議，深信未來還有更大、更多元的市場需求，值得各產業開發。

在一場由媒體所主辦的演講中，我也分享了「老年化趨勢」是一個國際性議題，需要結合長照與科技產業，雖然台灣醫療體系並不鼓勵產業化，但是大健康領域則鼓勵產業化發展。

## 共創銀色經濟

《亞洲新視野：台灣醫療奇蹟》曾盛讚台灣的醫療服務品質有目共睹，然而我認為，台灣醫療產業仍需要政府的策略性規劃藍圖。

多年來，我一直致力於推廣大健康產業的概念。終於在

天成醫療體系透過參加專業醫療展，與業界人士交流溝通。

2017 年年底，台灣舉辦了有史以來第一次的醫療科技展，首度串連專業醫療，跨領域整合生醫界的上、中、下游服務網絡共同展出，內容包括生技、製藥、IT、醫材、精準醫療、健康產業等領域。透過這樣的展覽，可以研發產製國際化醫療商品，並走向產業化。

天成醫療體系也積極參展，包括中壢天晟區域教學醫院、楊梅天成地區教學醫院、天成慢性病院區、楊梅天成大健康園區、中壢天晟大健康園區、金色年代長照社團法人、日間照顧中心，以及與中國大陸的合作項目杭州富春山居高爾夫渡假酒店、杭州公望仁雅高級健檢聯合門診中心、杭州富春山居健康醫旅、上海頤家老年服務等，都在醫療科技展現場吸引了許多關注。

展出期間，天成醫療體系成為會場諮詢度極高的單位，許多產官學界參觀者及關鍵的醫療政策制定決策人士也紛紛前來進行交流。

醫療科技展的經驗，更讓我確信自己選擇了一條正確的路。天成醫療體系以「醫養合一」為主軸，提出從預防醫學、疾病治療到金色長照產業的策略藍圖，期望開創出新的銀色經濟。

# 活出健康快樂的金色年代

擔任立法委員之前，我經常前往金色年代長照日照各機構探視，常會聽到一些感人的故事，讓我更加了解長期照顧的重要性。

有一位 90 歲的爺爺長年旅居加拿大，回台灣養老時希望找到和國外相同的環境，金色時代住宿長照機構的一大片綠地，讓他擁有住在國外的感覺，於是決定將自己的產業出租，選擇入住。在這裡，爺爺不僅擁有私人空間，還享受24 小時專人照顧，偶爾也與看護共享外送美食，過得自由自在，不必擔心打擾到子女的生活，在金色時代住宿長照機構過得非常快樂。

另一位爺爺在天晟醫院附設的日間照顧中心，年輕時他事業有成，但由於生病，不得不放手事業。他對天晟日照的服務給予高度評價，認為經營得非常有特色且用心，讓他有很大的安全感，爺爺說如果不是因為生病，他也想開一家像金色年代這樣優質的長照機構。爺爺的話對我們充滿了鼓勵，讓我們更有信心繼續為長者們提供舒適的服務。

另外一位金色年代的長者，子女都是醫師，在附近開業。因為相信金色年代的專業照護，放心地將父母送來。他們每天下診時就輪流前來探望父母，讓我深刻體會到家庭與長照機構之間的互動十分重要，更加堅定我投資長照事業的決心，希望能為長者們提供更專業的照護和優質的生活品質。

## 母親的金色年代

我的父母感情很好，2004 年父親過世後，母親非常傷心，每天過著思念的日子。為了幫助她度過這段時間，我開始引導她走入社區，和社區媽媽成為好友，在朋友的鼓勵下，母親漸漸重拾歡顏，開始參加社團活動。

每年天成醫療體系席開百桌的旺年會，就成為母親和「千歲團」（母親的朋友們年紀加起來超過一千歲，我們尊稱為「千歲團」）朋友們表演的舞台，母親喜歡演唱日本昭和時代女歌手美空雲雀的歌曲，大家一起穿著和服上台唱演歌，就像大明星一般，過著快樂的老年生活。

我印象中的母親，是一位具有經商頭腦的女性，從小鎮女子蛻變為早期企業女性的身影，對我產生深遠的影響。或許是從小受到母親熏陶，親戚們都說我傳承到她客家女性持家的美德，和經商的 DNA。

然而時光荏苒，曾在地方上獲得眾人尊敬、推崇的母親，如今已年過九旬、滿頭銀髮。過去經常往來台灣、日本

（上）母親（右）是我推動長照事業上的最佳導師。
（下）每年天成醫療體系席開百桌的旺年會，成為母親和朋友們表演的舞台。圖中唱歌者即為母親。

經商的她，開始出現失智前兆。偶爾，母親會誤以為此時此刻仍處於四十餘年前，父親還在身邊，他們攜手經營事業的日子。

白天，我送失智的母親到金色年華日照中心，有專業陪伴、供餐，並安排上復健運動與多元才藝，晚上再接回家，週末我和兄長都會帶母親出門走走和用餐。

剛開始，母親有點抗拒到日照中心，但經過護理師、照服員、社工師、營養師、神經內科醫師的悉心照料，以及其他長者的陪伴，後來母親每天都很開心地說要去上學了，偶爾還會哼唱日本歌，她神采奕奕的模樣，已經變成我快樂工作的來源與動力。

## 醫養合一最佳導師

某位知名女主播的一篇文章，讓我特別有感。她的母親敦厚溫柔，對人慈祥，但到晚年卻性情大變，經常指責看護偷東西，光是看護就換了十多位，後來家人才發現，這其實是老人家失智的前兆。

看到這篇文章時，不禁心有戚戚焉，向來對人和善有禮、待人以誠的母親，同樣為失智症所苦，雖然仍屬中度，但從她的眼神、肢體動作中仍能看出，在母親心裡，其實是被莫名的恐懼占據，讓她不得不武裝自己，防備世界。

我也發現，只要母親的心境處於幸福、快樂的正能量情緒時，記憶力就不會出錯。每個週末，我與夫婿、子女都會盡量放下手邊工作，陪同母親外出用餐，此時的她總是興致高昂、神清氣爽。一路上，她會看著車窗外一一細數街景與回憶，告訴孫兒輩們：你們的外公啊，在哪裡有一座工廠、做著什麼樣的生意。

然而，每當愉快的家族外出聚會後，返家車程上，母親的精神狀態又會變得萎靡，說起話來顛三倒四。當我陪著母親踏入家門後，她的神智竟又回到過去，問起我：大學念得如何？小外甥上學了嗎？

從母親身上，我頓悟到非常重要的一課，我自己醫學院畢業、又經營醫院，安排母親進行健康檢查十分方便，也能完全掌握她的生理狀態，母親各項身體數值都很漂亮；可是，從心理狀態來看，母親的情緒愉悅、快樂與否，竟會如此明顯影響她的生理，甚至有時心情好，失智狀況暫時可回復正常。

2016 年，我開始興建金色年代系列長照機構，成為「醫養合一」的推動與實踐者，而母親則成為我推動長照事業上的最佳導師，因為有她，我更能明白年長者的需求。

## 以修女為例的失智研究

美國有一批學者針對一群修女死後捐出的大腦，進行非常具有價值的研究，讓人們探索何謂「成功老化」（successful aging）。

「修女研究」（Nun Study）是美國大衛・史諾登（David

裝備。而醫院裝修又很專業，所以興建費用大約高出一般建物 1.5 倍。

與建築師討論硬體工程時，醫院的實用性和安全性是最重要的考慮因素，不能僅關注外部美觀。我們必須確保醫院設計符合評鑑標準和醫院設施規範，讓病患得到專業的治療與照護。

此外，醫院的動產醫療設施，如 CT、磁振造影（MRI）等高級設備的價格更是驚人，價格從幾千萬元到上億元不等，為了確保病患能夠接受到最佳的治療與照護，醫院需要不斷更新設備和技術，投入更多的資金。

私人醫院需要自行購買土地，而土地價格會因地區而有所不同。一般而言，醫院大多會選擇在市郊地區，才能解決腹地不足的困擾，土地價格也相對便宜。但我認為台灣地狹人稠，醫院應有「住商合一」的想法，於是將醫院設於桃園中壢鄰近 SOGO 商圈及楊梅市區，雖然兩者都位於商業區，土地成本相對較高。

## 愛上有使命感的工作

經營醫院十多年後，我想多學習管理知識，選擇到距醫院車程十分鐘的中央大學上 EMBA 課程。2003 年我到中大上課時，經常穿著工作夾克和牛仔褲巡察自己的醫院建築工地，監督工程進度後才去上課，同學們都說我很像建築公司的老闆兼工頭。

Snowdon）博士在肯塔基大學附設 Sanders-Brown 老化研究中心的一項近二十年研究。他發現，修女們在年輕時決意獻身前所寫日記表現出的正面力量強弱，與 70 歲後是否可能罹患失智症有關。

年輕時寫作文筆難度高的修女比寫作風格簡單的修女，較不會出現失智症。可見得年輕時能夠運用語言表達思想的人，頭腦比較有抗衰老的能力。

研究團隊更發現，很多修女的大腦在過世之前，已經出現阿茲海默症的生理症狀，但生前卻完全沒有出現阿茲海默症的心理病態。因此得出一個有趣的結論：教育程度較高或常動腦學習，可以增加儲備頭腦認知能力（cognitive reserve），使得病人不會被阿茲海默症嚴重影響。

史諾登將這項研究寫成一本書：《優雅老化》（*Aging with Grace*），並榮獲克里斯托弗獎（Christopher Award），台灣翻譯書名則為《優雅的老年：678 位修女揭開大腦健康之鑰》。

根據上述研究或許可以推斷：母親九十多歲後才失智，應該跟她年輕時常動腦做生意有關。若我們想活出健康快樂的銀髮生活，就得多學習、多動腦、多運動、多走路、多吃蔬果（地中海飲食）、預防中風、保持正面態度和維持人際網絡等，不但有助於大幅降低罹患阿茲海默症的機會，甚至能讓大腦即使有了病變，也比較不會出現失智症狀。

# 第四章

# 學習與分享

# 把工作當成興趣

《莊子・雜篇・寓言第二十七》記載，莊子謂惠子曰：「孔子行年六十而六十化，始時所是，卒而非之，未知今之所謂是之非五十九非也。」意思是：孔子六十歲以來的觀念與認知，絕非一成不變，而是年年都在變化與進步。也就是說，六十年中發生了六十次的進步變化。每一年他認為正確的事物，到年底都會重新檢討是非對錯。

這段話告訴我們，孔子與時俱進，不斷反省自我、修練自我，思考一點也不僵化。之所以能做到如此境界，持續保持學習的態度與精神，是重要關鍵。

在過去幾年 CEO 學習課程中，參觀過西班牙的桃樂絲酒莊，拜訪第三代莊主，他同時也是傑出的企業家，聽他分享教育成長過程及接班的經驗；課程中也安排參訪著名的猶太裔羅斯柴爾德家族，他們曾經也是世界首富。

我了解很多歐洲的成功企業，都是富過三代的家族企業，平均而言，有些家族企業的獲利能力，遠比公開上市的企業還高，後代不但繼承父祖輩家業，甚至發揚光大。我很好奇這些家族企業的優良基因如何傳承與延續。

美國洛克菲勒家族從出生於 1839 年的約翰・洛克菲勒發跡，普遍被視為西方世界史上的首富之一，發展至今已是第七代，因為想了解他們永續經營的祕密，所以我在辦公室放了好幾本《洛克菲勒寫給兒子的 38 封信》，從閱讀中我了解到，洛克菲勒家族的家庭教育正是事業薪傳的基石，獲益匪淺，有時朋友或同學來訪，在辦公室看到這些書，我也不吝分享贈書於他們。

## 人生樂趣源於對工作的態度

在《洛克菲勒給子女的一生忠告》中，提到洛克菲勒認為熱愛工作是一種信念，他從第一份工作簿記員的經歷，體認到「收入只是你工作的附贈品，做好你該做的事，出色完成你該完成的工作，理想的薪水必然會隨之而來」，而且「工作是一種態度，它決定了我們快樂與否」、「如果你視工作為一種樂趣，人生就是天堂；如果你視工作是一種義務，人生就是地獄」。

當小約翰・洛克菲勒向父親提出想要成立救助非洲貧困人口的基金會時，洛克菲勒不但提供大筆資金，同時在精神上給予鼓勵；基金會成立大會時更到場致詞，分享發人深省的企業社會責任，包括「利用財富勝於擁有財富」、「眾樂樂會使喜悅加倍又加倍，因此，喜悅照亮我的朋友，也會回到我身上來；他的蠟燭愈亮，也就更容易照亮我」。洛克菲勒也把這種人生觀，傳承給他唯一的兒子小約翰．洛克菲勒。

## 賺錢不是經營唯一的目的

這本書的最後提到，小約翰．洛克菲勒計劃成立基金會之際，曾與父親溝通：「我們經營雖是為了賺錢，但賺錢不應成為我們經營的唯一目的；我們應當學會貢獻，為這個社會、為其他人，貢獻一份我們應盡的力量。」

之所以有如此胸懷，或許是因為洛克菲勒從小就告誡他：「我們生活在這個世間必有其價值，也必有其使命。看看四周，一定有你可以幫得上忙的地方，因為你伸出一隻溫暖的手，這世界上就少了一個哭泣的人。」

眾所周知，坐落於美國紐約第五大道的洛克菲勒中心，是由多棟摩天大樓組成的區域，由洛克菲勒家族出資興建。這是人類歷史上規模最大的私人建築群，分兩期完成，第一期十四棟大樓於 1930 年年中正式動工，當時美國正經歷股市大崩盤，商業活動蕭條，人民失業率提升，經濟面臨毀滅性的大災難，不但小民生活艱困，大亨跳樓自殺也時有所聞。

原先參與大樓興建的投資者一一退卻，只有小約翰．洛克菲勒堅持繼續獨資建設洛克菲勒中心，其主因就是為了創造就業機會，提振美國人民對未來的信心，也讓後人對他的智慧、勇氣與愛心留下深刻印象。

洛克菲勒中心第一期的十四棟古典風格大樓於 1930 年代

與家人到紐約洛克菲勒中心，左起為小女兒、大女兒及夫婿。

完成，1960 年代加建四棟現代風格大樓，總共十八棟建築，是紐約數十萬人每天遊憩與工作的重要據點。

市區土地寸土寸金，一般業主常因利益，要求建築師在設計上不得浪費公共使用空間。可是洛克菲勒中心卻將大樓的地下與地上通道、大廳、廣場、樓梯間與路衝，設計成市民生活的「市民空間」（Civic Space），或許這種做法在今日不足為奇，但在當時可以看出小約翰・洛克菲勒以民眾生活為念，提供便利的生活公共領域的理念，也對後來城市建築產生重大影響，紛紛仿效洛克菲勒中心的設計理念。

我對這個家族產生好奇心，上網查詢更多資料，並購買洛克菲勒的著作。看完之後，心中充滿感動，我十分崇敬他，更認同他的理念。其實我平時樂於分享，把工作當成樂趣，時常幫助他人，甚至成立基金會照顧弱勢，在醫療事業中隱然實踐洛克菲勒的企業家精神。

洛克菲勒曾說：「我想人生有兩件事可當作目標，首先是得到自己想要的東西，然後是與他人一同分享。而只有最明智的人才能做到第二點。」簡單來說，就是分享愈多，自己成長就更多。

# 向世界學習

參加全球 CEO 班的課程中，我有許多機會能直接向世界知名的政治、經濟、企業等學者們學習。由於在世界各大頂尖學府實地上課，而同學們都是在國際上表現優秀的華人企業家，對我來說，這是人生學習的轉捩點。

除了學習，我也不忘利用課餘時間到各校所在地深度旅遊，藉此體驗異國生活，探索當地的經濟、政治、歷史和文化，這讓我獲益匪淺。

因此，回國後，我將所學的最新管理思潮與營運策略落實在企業中，兼顧「品味生活」及「事業實踐」模式，提高經營效率，同時讓自己進入人文藝術領域的不同境界。如今我的生活與事業豐富多采，我非常感恩這段珍貴的學習旅程。

## 中歐國際工商學院

中歐國際工商學院（China Europe International Business School）是一所由中國政府與歐洲聯盟於 1994 年共同創辦，

專門培養國際化高級管理人才的非營利性中外合作高等學府。最早在中國大陸開設全英語教學的全日制工商管理碩士課程（MBA）、高層管理人員工商管理碩士課程（EMBA）和高層經理培訓課程（Executive Education），是亞洲唯一三大課程均進入英國《金融時報》全球 30 強的商學院，在上海、北京與深圳都有校區。

我參與的是中歐國際工商學院第七期「全球 CEO 課程」，這組課程是集合中（中歐國際工商學院）、美（哈佛商學院）、歐（IESE 商學院）三大頂級商學院之力聯合打造。專為企業的首席執行官、董事長及企業最高決策者量身打造，學員均有十年以上的高層管理經驗。

我們這班共有六十六名學員，是學校有史以來規模最大的 CEO 課程，學校網站曾報導，第七期上課同學是中歐史上「含金量」最高的一期。

## 長江商學院，提升管理思維與高度

2011 年，我也受邀參加長江商學院的 CEO 課程。

長江商學院是一所擁有獨立法人資格的非營利教育機構，通過「取勢、明道、優術」的戰略選擇和「中西貫通」的辦學理念，為中國打造一個享譽全球的世界級商學院。創辦人是華人首富李嘉誠，他曾說「知識改變命運」。

歷屆校友中，有超過兩千五百人擔任企業 CEO 和董事長，2011 年，這些企業年營業額加起來達到了一兆美元，占中國 GDP 的七分之一，可以說是推動中國大陸經濟發展的重要力量。

長江商學院的企業 CEO 班，與一般 EMBA 課程有很大的區別，課程內容主要針對 CEO 的事業發展需求設計，同學們在課堂上互相分享彼此經營事業所遭遇的挑戰及難關，即使不同領域，也能從中汲取寶貴的經驗。

長江商學院院長項兵曾說，企業 CEO 的思維應該有「從月球看地球」的高度。

而我之所以同時修讀中歐和長江兩所學院的 CEO 課程，主要也是受到同學們的影響，他們大多都是長江和中歐兩校的先後期校友或同學，我渴望能與他們一起學習，因此選擇兩校課程先後期上課的模式，可節省往返台北和中國大陸之間的飛行時間，讓我能兼顧家庭、工作，同時滿足渴望學習的心。

有了課程的加持和經驗，對我的企業經營和個人成長有極大幫助，啟發我的領導力，增加管理上的理論基礎，更能拓展人脈資源，與國際間有更多交流及學習的機會。

# 就教於國際大師

除了透過 CEO 班或 EMBA 課程，打開我領導管理的視野之外，有機會向國際級大師學習，更對我在企業經營上開啟了全新的機會。

## 善用羅伯特．卡普蘭的「平衡計分卡」理論

2010 年，我到哈佛大學直接向世界頂尖的管理大師、平衡計分卡作者羅伯特．卡普蘭（Robert Kaplan）教授學習。

卡普蘭教授是我非常景仰的學者，他在 1992 年與大衛．諾頓（David Norton）教授合作發表的〈平衡計分卡：企業績效的驅動〉（The Balanced Scorecard: Measures that Drive Performance）文章，是當時全球商業管理的熱門議題，其後兩人合著的《平衡計分卡：化戰略為行動》（*The Balanced Scorecard: Translating Strategy into Action*），更穩居暢銷書排行榜之列，將平衡計分卡推至更高的高度，成為企業管理界的熱門工具，此書也被當時台灣各大學 EMBA 列為必讀書單。

可以在哈佛大學親炙大師風采，上卡普蘭教授的課程，可說是實現了我的夢想。在課堂上，他特別提出「Why measures matter? If you can't measure it, you can't manage it. If you can't manage it, you can't improve it.（為什麼數字衡量很重要？如果你無法衡量，就無法管理；如果你無法管理，就無法進步）」的理論讓我印象深刻，也深深影響了我，體會到數字的應用是科學管理的基礎，要有合理的數字衡量，才能促進企業的進步與成長。

透過卡普蘭教授的授課內容，我更加堅信平衡計分卡的重要性，並將其運用於自己的經營管理事業中。

在哈佛大學上卡普蘭教授（右）的課程，實現了我多年來的夢想。

2015 年，台北市市長柯文哲上任後，為了提升北市府公務人員行政效率，也推出平衡記分卡、KPI（關鍵績效指標）等管理制度，具體量化市府各機關的年度考核。可見這套理論並不僅限於企業管理，導入公部門也有助於提升工作及管理效率。

## 向管理學大師《執行力》作者夏蘭學管理

記得 2003 年我就讀中央大學 EMBA 班時，《執行力》（*Execution*）一書就是我們管理學的必讀書單之一。沒想到時隔多年，我也有機會親自跟世界管理學大師、《執行力》的作者瑞姆・夏蘭（Ram Charan）學習。

瑞姆・夏蘭被譽為世界第一的管理學大師，曾被美國商業雜誌《富比士》（*Forbes*）列為「商界遠見人士」系列報導的大師之一。

2018 年，長江商學院 CEO 班的同學再次回到劍橋大學學習，主要課程就是「執行力」。還記得上課那天，是 7 月 23 日早上六點，年過七十的夏蘭教授，遠從美國飛到倫敦親自授課，儘管沒有休息，但體力依然充沛，我非常期待能聽他授課。

然而當時天成醫療體系有一棟醫療大樓要上梁，我必須提早趕回台灣參加。只能聽一天的課，心中非常扼腕，回台後盼望著何時才有機會再上夏蘭教授的課，後來得知有些同學也因工作無法前往倫敦上課，和我一樣覺得十分可惜。

一個月之後，我的同學富華國際集團董事總裁趙勇將夏蘭教授從美國請到北京授課，我好奇他是如何辦到的。另一位同學，北京動向公司董事長陳義紅告訴我：許多長江、中歐企業家同學都常邀請國際知名大學的教授擔任公司顧問，夏蘭教授常飛中國大陸。

這個機會十分難得，由於正值暑假期間，加上飛北京比飛倫敦距離近得多，我便帶著分別在美國和英國讀書的兩個孩子一起去上課，希望能近距離與夏蘭教授學習交流。用餐時，夏蘭教授還給兩個孩子一些建議，指導他們。我們上下兩代同時向夏蘭教授學習執行力。

夏蘭教授說：「一家成功的企業，30% 靠策略，40% 靠執行力，剩餘 30% 就是運氣。」這個觀念對我在企業經營與管理方面影響很大。

向夏蘭教授學習後，每個月我與醫院主管的會議中，採取對談的方式與醫護同事們開會，先傾聽他們的想法，並分享我在國際學習的經營管理知識，重要的是要落實執行。

## 「工業 4.0」大數據專家李傑教授的煎蛋理論

2018 年中歐 CEO 七期班會，安排到中國大陸敦煌上課，課程非常精采，由美國辛辛那提大學講座教授李傑（Jay Lee）主講。

李教授是台灣人，他不僅是工業 4.0 大數據專家，同時也是鴻海集團副董事長，曾擔任白宮顧問。

（上）藉著夏蘭教授（右二）受邀至中國大陸的機會，我帶著兩個孩子向夏蘭教授當面請益。

（下）李傑教授（左）親自指導我可以醫療為核心，建構醫療科技大健康互聯網。

## 醫療與科技結合——煎蛋理論

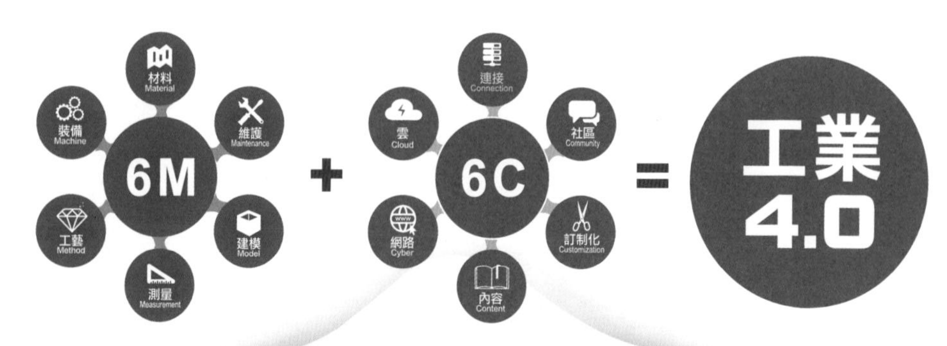


**企業合作**

- Microsoft
- 英業達集團英華達公司
- aeolus 睿智通有限公司
- 創王光電股份有限公司
- 適動SMARC
- JAG 捷格科技
- 老達利貿易股份有限公司
- KENKONE 康統醫學科技
- 網嘉科技有限公司
- Imedtac 慧誠智醫
- 真醫健康企業
- 樂齡智造科技
- Nuwa 女媧創造
- Jubo 智齡科技
- AiCare 美商愛康科技
- 仁寶電腦
- 友達光電
- 高雄醫學大學附設醫院
- 亞東紀念醫院
- 雄獅旅遊

**以天成醫療體系為核心**
中壢天晟醫院
楊梅天成醫院
中壢(新)天祥醫院
打造
**大健康互聯網**

富春山居高爾夫渡假村(杭州)
公望仁雅健康管理中心(杭州)
上海頤家老年服務有限公司
金色年代護理之家日照中心
天成生醫科技
麗質天成
天成健康管理中心

**5G長照**
居家醫療
居家護理
居家藥事
居家復健
居家服務

**產學合作**

- 國立臺灣大學
- 國立交通大學
- 國立中央大學
- 國立陽明大學
- 高雄醫學大學
- 臺北醫學大學
- 中原大學
- 元智大學
- 長庚大學
- 開南大學
- 康寧大學
- 中台科技大學
- 萬能科技大學
- 亞東技術學院
- 新生醫專

資料來源：參考前美國白宮顧問、工業 4.0 大數據專家李傑教授的煎蛋理論。

李傑教授的「煎蛋理論」提出以各行業的專業為核心，發展與異業合作的模式，對我產生極大啟發。教授親自指導我可以醫療為核心，向外延伸並結合科技與跨領域產業，建構醫療科技大健康互聯網。

回到台灣後，我立即建立起大健康體系的煎蛋理論，以醫療為核心（蛋黃），與醫療相關產業，包括長照、生醫、科技業，與國內外各大學的產學合作，以及與各大企業異業結盟，架構出大健康互聯網（蛋白）。

這次的班會重點除了李傑教授授課之外，也在研究院專家陪同下參觀莫高窟，聆聽專家學者對絲綢之路文化的全面解讀，還參加了王潮歌導演的室內情境體驗劇《又見敦煌》[6]。

在沙漠偏遠地區，竟然有如此大規模製作的劇場，每天吸引成千上萬的遊客，真的是要有廣闊土地和資源的國家才做得到，既保留了中國歷史文化，同時帶來旅遊經濟效益，一舉數得。

---

6 由被譽為中國最具創新精神的導演王潮歌，集合中國大陸頂尖藝術家，歷經兩年時間創作而成，以全新的觀演模式帶領觀眾進行一次「古今穿越」。在《又見敦煌》劇場中，行五十步，彷彿已穿越百年；行百步，已經穿越千年；最後，觀者或許也將與自己的心見面。在不知不覺中，觀眾被分為十六組，各自進入不同的「洞窟」，與「古代人」對談。這不只是一次觀看，更是一次生命體驗。

# 課堂外的知識

參與中歐國際工商學院及長江商學院的課程，不僅在課堂上獲得國際上最先進的豐富知識，更難能可貴的是，課堂外的學習。

2011 年中歐國際工商學院 CEO 七期在中國大陸內蒙古舉行班會，主題是「沙漠之旅，心靈之旅，友情之旅」。這次活動主辦人，是深圳世聯地產董事長陳勁松，以及內蒙古健隆工業總經理田彩玉。

班會舉辦地點在阿拉善盟左旗，於騰格里沙漠邊緣的月亮湖沙漠酒店召開。我知道台北有歸綏街，中國有歸綏省，而歸綏就是現在內蒙首府呼和浩特，但阿拉善盟在哪裡？要如何去？

阿拉善盟是原先的寧夏省，現在的寧夏回族自治區，是以寧夏省賀蘭山與黃河之間的塞外小江南，加上甘肅省一部分所組成。阿拉善盟面積廣大，約為台灣八倍大，全區大部分為沙漠，需要先到寧夏自治區的銀川，再搭車穿越賀蘭山

上中國大陸北方大部分草場過度放牧，種種人為因素，使得地表植覆被破壞，沙漠和荒漠化土地擴大，是沙塵暴頻頻發生的主因之一。再不努力改善，北京終有一天將會被沙漠掩埋，這可不是危言聳聽的預言，過去的歷史大湖居延海，目前絕大部分已經消失在沙漠之中。

在 2004 年 6 月 5 日世界環境日當天，近百位中國大陸企業家在騰格里沙漠月亮湖畔，成立了中國大陸首個以社會責任（Society）為己任，以企業家（Entrepreneurs）為主體，以保護地球生態（Ecology）為實踐目標的環保公益組織——阿拉善 SEE 生態協會，並共同捐錢成立基金會，支持各項防止沙漠惡化的科學研究。

2011 年參訪阿拉善 SEE 生態協會，左為新任會長萬通地產董事長馮侖。

2011年我們造訪期間，正值阿拉善SEE生態協會剛開完年會，選出當屆正副會長，新任會長是萬通地產董事長馮侖，同班同學世聯地產董事長陳勁松與台灣廣達電腦董事長林百里，一同擔任副會長。

藉由這次活動我也才發現，不少同學們積極分享生態相關議題，更親身參與阿拉善SEE生態協會的公益活動，譬如固定贊助支持沙漠生態研究，保護沙漠生態環境，每年捐款約台幣10億元左右。除此之外，生態協會也設法改變當地遊牧民族的生活習慣、經濟生活與土地之間的生態關係。

## 強化亞洲政經關係

2013年，長江商學院CEO四班前往柬埔寨拜訪韓森首相。期間，韓森首相安排於柬埔寨政府大樓友誼大廈開會。

前往會議途中，我在車上觀察柬埔寨市街邊的招牌，發現幾乎都是簡體中文。翻譯告訴我們，柬埔寨的市招大部分已從繁體中文改為簡體中文。這現象也反映出中國大陸在柬埔寨的金援和投資力道。

2015年8月，長江商學院CEO四班拜訪日本前總理大臣菅直人（かんなおと）。菅直人曾擔任日本眾議院議員，是非常傑出的政治家，曾訪台進行核安研討與交流，了解核災事故的應變措施。

在女兒同時就讀中歐MBA期間，她也曾到日本向國際知名趨勢大師大前研一學習。大前研一以提出3C模型而聞

（上）2015 年在長江商學院的安排下，我與三個小孩、姪女們一起拜訪日本前總理大臣菅直人（左四）。

（下）大女兒（右）向日本管理大師大前研一（左）學習，收穫很多。

名，為國際級企業及亞太地區國家提出建言，被譽為「策略先生」。

## 領略法國品牌文化及管理精神

歐洲有許多經營超過百年的家族企業，以及全球知名企業與組織，透過參訪活動，我學習到許多歐洲企業永續經營的關鍵要素。

中歐 CEO 班法國行，拜訪世界知名的路易・威登（Louis Vuitton, LV）。在這次訪問中，我們與 LV 總裁 Yves Carcelle 會晤，他介紹了 LV 自 1854 年創立以來的歷史和發展，特別是他們獨特的工藝技術和品牌風格。

之後轉往 LVMH 總部，由總經理 Tony Belloni 親自接待並做公司簡報。LVMH 集團擁有 13 萬 4,476 名員工，旗下七十多個品牌，門店總數達到 3,948 家，是當今世界最大的精品集團，主要業務包括：葡萄酒及烈酒、時裝及皮革製品、香水及化妝品、鐘錶及珠寶、精品零售等不同領域。

從 Monogram 花卉圖案到鑽石切割技術等，LV 以一流的工藝技術和經典風格，在皮具、佩飾、時裝、腕錶、珠寶等領域經營多年，讓人深刻體驗到品牌精益求精、追求創新的企業精神，也給我很大的啟發。這次拜訪不僅擴展了我對奢侈品行業的認識，也讓我深刻領略到 LV 所展現的企業文化和管理理念。

這次女兒 Amy 也隨我一起參加中歐 CEO 班參訪活動，

並拜會法國前總理拉法蘭（Jean-Pierre Raffarin）先生。

拉法蘭於 2002 年至 2005 年間擔任法國總理，實行一系列改革措施，包括促進就業、加強社會保障、簡化行政程序、加強國家安全等，並於 2005 年至 2017 年擔任法國參議院議員，是法國政治界的重要人物之一，對法國及歐洲的政治和經濟發展貢獻良多。

女兒當時在美國留學，拉法蘭稱讚她英文講得很好，和女兒聊得非常愉快，我們一起品嘗法國紅酒，也分享交流了許多台法兩國之間的文化、經濟與政治發展。

## 拜訪經濟合作暨發展組織

總部位於巴黎的經濟合作暨發展組織（Organization for Economic Cooperation and Development, OECD），是一個致力於推動全球經濟發展的重要國際組織，注重的範疇包括經濟增長、金融穩定、貿易投資、技術創新、企業管理等，旨在改善經濟、社會、環境等問題。

目前，儘管台灣只以觀察員身分參與 OECD 的工作，但積極參與 OECD 的各項研究、政策討論，有助於我國提高國際競爭力，也為台灣與其他國家建立互惠合作的機會，有著非常重要的意義，且在鋼鐵、造船等產業方面，台灣都與 OECD 有著密切的專案合作關係。

OECD 除了關注各國 GDP 表現，也關注與民眾相關的社會指標和生活質量，包括就業、教育、能源、健康、稅收、

（上）拜會法國前總理拉法蘭（左）。
（下）參訪 OECD 總部，國際關係祕書處總監 Marcos Bonturi（右）親自接待、介紹。

環境等，即民眾真正在乎的「幸福感」層面。

我們參訪 OECD 總部時，國際關係祕書處總監 Marcos Bonturi 親自接待，介紹 OECD 的發展，並贈送每位同學一本書《民主問題：衡量社會幸福的十一個指標》。

## 觀察瑞士政治、經濟、產業發展

瑞士信貸銀行（Credit Suisse）是一家享譽全球的企業，以投資銀行、私人銀行、資產管理等專業領域著名。在瑞士第一大城蘇黎世，我們拜會瑞信私人銀行總裁白賀德（Walter Berchtold），聽取他分享經營管理的經驗。

造訪瑞士期間，聽取瑞信私人銀行總裁白賀德（右一）分享經營管理經驗。

白賀德自 1982 年就加入瑞士信貸銀行，經過多年的歷練與成長，成為瑞信私人銀行的總裁，帶領一支來自各國的菁英團隊，展現出企業國際化的風貌。

但 2023 年 3 月美國矽谷銀行（SVB）倒閉，瑞士信貸陷入流動性危機，瑞士銀行集團（UBS）3 月 20 日正式宣布，以 30 億瑞郎（約 32 億美元）收購瑞士信貸。由此可見，在全球化的時代，國際情勢詭譎多變，牽一髮而動全身，企業經營者更需戰戰兢兢，審慎應對。

瑞士製造的高級手錶，一直是全球手錶市場的佼佼者。雖然在台灣勞力士品牌知名度最高，深受人們喜愛，但還是有許多精緻品牌值得我們了解。譬如寶珀錶（Blancpain），就是一個高級手錶品牌，成立於 1735 年，位於瑞士耶薩普（Le Brassus）山區，是瑞士最古老和最傳統的手錶製造商之一，也是手錶界中的瑰寶。

不僅金融業與精密工業，瑞士的國際地位和歷史背景，更令人印象深刻。做為一個中立國，瑞士兩世紀以來未曾捲入戰爭，保持社會穩定，並成為全球最富裕的國家之一。許多國際組織都選擇在瑞士設總部，特別是日內瓦。

參訪位於萬國宮的聯合國歐洲總部，是一個非常特別的體驗，這裡曾是國際聯盟總部，見證了人類對和平的追求，由此可見其重要性和影響力，而當我站上發言台，想像自己是一名政治領袖，發表重要演講，更能想像領袖們肩膀上沉重嚴肅的職責與任務。

站上聯合國發言台，感受各國領袖們肩膀上沉重嚴肅的職責與任務。

借鏡瑞士經驗，回看台灣現況，全球化趨勢使台灣在國際上的地位更為重要，我們應維護國家利益，促進國際貿易合作，實現雙贏，做為世界貿易組織（WTO）成員，積極參與國際事務，有助提高我國競爭力。

2020 年我擔任立法院「中華民國與瑞士國會議員友好聯誼會」會長，在瑞士代表訪台時，我提到，瑞士與台灣一樣都缺乏天然資源，但是他們的人民憑藉民主與勤奮，創造出許多世界知名的產業，例如醫藥、精密機械、鐘錶、金融業及食品等，人均產值每年高達七萬多美元，是經濟最發達和生活水準最高的國家之一。

瑞士本身不產咖啡豆，但是雀巢公司的咖啡聞名行銷全世界；許多人愛配戴的勞力士手錶和名錶，也是瑞士生產的高價物品。此外，瑞士是美麗清靜的山國，觀光業每年吸引許多外國觀光客，觀光產業的細緻服務，都是值得台灣發展觀光業學習的地方。

## 參訪聯合國教科文組織

聯合國教育、科學及文化組織（United Nations Educational, Scientific and Cultural Organization，簡稱聯合國教科文組織），透過教育、科學、文化的力量，促進和平及安全的使命，對於現代社會的知識與文化主導更加重要，也提醒我們應當重視加強教育與文化推展的工作。

我有一位中歐 CEO 七期的同學李永軍，在山東成立了永新華韻非物質文化遺產體驗中心，永新華韻已與聯合國教科文組織以及中國大陸頂尖藝術大師，達成了一系列合作，2016 年更榮獲聯合國「非物質文化遺產特別貢獻獎」。

永新華韻承建了世界非物質文化遺產項目大資料庫，該資料庫將容納中國八十七萬項及世界兩百多萬項非物質文化遺產項目，展現了非物質文化遺產保護的重要性。

## 考察紐西蘭投資環境

2015 年，長江商學院安排拜訪紐西蘭奧克蘭市的行程。時任奧克蘭市市長 Len Brown 熱情接待我們，他特別安排兩

紐西蘭奧克蘭市市長 Len Brown（右一）。

天的時間陪伴我們開會和參訪，展現他卓越的招商引資能力，吸引不少華人同學前往投資。

其中，我的同學富華國際集團董事總裁趙勇，已在奧克蘭投資了三個項目，包括超五星級酒店柏悅酒店、新豪華列車旅遊項目和奧克蘭海濱公寓。這些項目的建設不僅豐富了當地的旅遊住宿選擇，也為紐西蘭經濟發展注入新的動力。

在晚宴中，市長特別介紹奧克蘭紅酒，讓我們品嘗到其獨特風味。再次證明，品嘗紅酒並不一定要在法國，紐西蘭的紅酒同樣值得一試。

這幾年的學習之旅，跳脫出課本及課堂之外，透過實地參訪世界知名大學商學院和國際間政治經濟相關單位，打開視野，同時讓我更加清楚，除了經營企業，為員工打造更幸福永續的工作環境，同時關心台灣各面向的發展，或許也能透過參與學習、經濟及文化交流，讓更多國際友人認識台灣這片美麗的土地。

第五章

# 文化的魅力

# 從藝術一窺管理堂奧

大學畢業後，我從事醫院的連鎖創建與經營，藝術並非我所學與強項，但卻在我人生中扮演著重要角色。

在藝術方面的啟蒙，始於父母自我年幼時用心栽培。小時候家裡有鋼琴，父親會教我彈琴，安排我去上天主教幼稚園，跟著修女學鋼琴，可說是我對藝術美學的初體驗。

## 指揮台上的領導學

隨著升學的壓力，到國中以後就未再繼續學鋼琴，國中的音樂老師知道我學過鋼琴，所以指定我擔任學生合唱團指揮，每天早上全校在運動場集會時，我要上台指揮全體師生唱國歌。後來老師告訴我，第一次看到我，就覺得我有一股「對音樂的熱情」。

回想起那段當指揮的時光，我僅是十來歲的國中生，在舞台上指揮著合唱團，隨著不同聲部，掌控聲音大小、強弱、高低、快慢，共同完成每一首合唱曲。

我看過一篇經營管理學的文章提到，一位出色的領導人應該像交響樂團指揮，不必精通每種樂器，但必須掌握演奏樂章主題，促成樂手合作演出。

指揮可用指揮棒、肢體、表情、手勢引導團隊成員合作，演奏出優美的樂章。有時候需要強勁有力，有時候則需要輕柔緩慢。在關鍵時刻，指揮必須加快節奏或者放慢步調，讓整個團隊在適當時刻將樂曲鋪陳到最高潮。從小，我就很崇拜國際指揮家郭美貞的指揮神韻。

同樣地，公司的領導人也需要懂得如何讓業務、研發、行政、財務、人力資源等各部門相互合作，共同邁向企業目標，這需要一位能夠制訂 OKR（Objectives and Key Results）的領導人，就像擔任交響樂團總指揮一樣協調整合。

我非常喜歡音樂，出國時，常搭乘長榮航空的班機，每次一上飛機，便聽到機艙裡播放長榮交響樂團演奏台灣民謠管弦樂版，曲目包括〈台灣之翼〉、〈四季紅〉、〈滿山春色〉、〈桃花過渡〉等，非常優美動聽，讓人倍感親切。

於是，我把這些美妙的音樂帶進醫院裡，讓病患和同事們欣賞，甚至創院初始至今，把〈台灣之翼〉、〈四季紅〉、〈滿山春色〉等交響樂曲，當成每日開診與電話答鈴的音樂，這種做法後來成為天成醫療體系各院區的特色與文化。除了院內開診音樂，醫院還定期舉辦音樂會。

而我自己在工作繁忙之餘，也會彈奏簡單曲目陶冶身心。待事業略有所成後，仍不忘熱愛藝術的初衷，有時會贊助及參與藝術活動。

我從沒想過藝術對於事業經營者來說，能產生什麼深遠影響，尤其是工作繁忙，必須隨時做出重大決策的企業CEO，心想如果多了解藝術，能提升營業績效或拓展事業版圖嗎？

然而，在走過多次藝術與建築的學習之旅後，我改變想法了。

## 藝術激發管理的全腦活動

2010年，我在中歐國際工商學院CEO班的安排下，與CEO同學們一起遠赴西班牙IESE管理學院上課。2011年5月，又陪同夫婿參加相同課程，再度造訪西班牙。

課程中邀請一位斯洛維尼亞（Slovenia）的文化大使授課。斯洛維尼亞位在義大利與奧地利兩個藝術國度的邊界，土地面積約為台灣的55%。大使是著名的音樂與管理演講家，他的授課方式極為特殊，在課堂上一邊忘情地演奏小提琴，一邊使用圖表輔助演講，讓所有學員接受了一次融合即興式音樂的簡報洗禮。

大使直接以音樂的本質，藉由人類與生俱來喜愛賞析音樂的天賦，闡述如何結合音樂，精準、熱情地達成管理目標，並發揮團隊協調的藝術。

過去曾有學者爭論CEO的管理，究竟是左腦的科學，抑或右腦的藝術？依我看來，這位教授能夠整合主司藝術的右腦，與掌控細部工作程序的左腦，讓課堂上的 CEO 們體會到，成功的管理不只是單獨仰賴左腦或右腦，而是必須發揮全腦的力量。

## 藝術與文化的一堂課

近年來，我經常到歐洲旅行，深入參訪義大利、西班牙、英國、法國等地博物館、美術館和教堂。每次探訪這些充滿人文底蘊的藝術殿堂，總會有不同的收穫。

我也多次造訪紐約百老匯，觀賞著名音樂劇，如《芝加哥》（Chicago）、《歌劇魅影》（The Phantom of the Opera）、《獅子王》（The Lion King）和《媽媽咪呀！》（Mamma Mia!）等。令我驚訝的是，即便同一部音樂劇的演員有所不同，但他們的動作、走位、聲調甚至眼神，都能完全到位，精準無誤。

原來，歐美地區的專業劇組，會為整部音樂劇的每個細節制訂一套標準作業程序（SOP），這也是這些名劇得以在世界各地巡迴演出多年，即使更換不同演員，仍能保持完美表現的關鍵原因。國際標準舞自 1904 年英國制訂以來，每種舞蹈也都有固定的曲風、舞步和風格。

這亦是管理學的標準化與培養接班人的經管理念。

藝術對於人性管理具有啟發的作用，能夠感動人心。企業管理透過藝術賞析，能夠獲得難以言喻的心靈啟發，並將之潛移默化，成為軟性的人文式管理模式，導入企業文化。

此外，藝術發展更需要有心企業家的鼎力支持，才得以永續，企業與藝術之間的相互引力，所產生的文化底蘊共鳴，能讓這些至美的人類瑰寶源遠流長。

過去幾年，我總是在歷史與藝術中，尋找到很多傳統的元素，再依照企業組織需求加以整合，成為我個人的管理模式與領導風格。而企業精神也能創造藝文價值，幫助社會提升精神生活品質。

# 藝術結緣，把 NSO 帶進中壢

記得約在 2013 年，於一場音樂會中，我認識了當時的國家交響樂團（National Symphony Orchestra, NSO）音樂總監呂紹嘉。

他在歐洲成名，年輕時陸續贏得法國、義大利、荷蘭三大國際指揮首獎，震驚樂壇。隨後，呂紹嘉在德國等地繼續綻放光彩，出任柏林喜歌劇院、萊因愛樂、漢諾威歌劇院音樂總監等重要職位。德國權威雜誌《歌劇世界》更曾將呂紹嘉評為「年度指揮」。

在這些光環背後，呂紹嘉始終記得自己是來自台灣竹東小鎮的客家子弟。因此，在尚未正式接下 NSO 職務之前，長年旅居歐洲的他經常回到台灣，貢獻自己的才能。

## 連續七年邀請 NSO 中壢演出

呂紹嘉擔任 NSO 音樂總監期間，持續積極推動音樂走進民間。

自 2014 年以來，我連續七年支持 NSO 在中壢的音樂演出，其中兩次戶外演出是在金色年代系列的金色時代、金色年華長照機構。金色年代長照社團法人時常舉辦音樂會及藝術表演，與社區民眾分享。

第一次是在 2014 年，天成首邀 NSO 至中壢藝術館演出「張尹芳指揮——小太陽音樂會」，現場邀請桃園在地的小朋友一起演奏，父母們都很高興小朋友能和國家交響樂團同台表演，在他們的人生中寫下難忘的體驗。

2015 年，正值國家音樂廳整修，NSO 首度展開「南方開季」，走出台北往南移師，第一站就到中壢。演出「呂紹嘉指揮——樂活天成 幸福人生」、「呂紹嘉／嚴俊傑鋼琴音樂會」，這是 NSO 第二次到中壢演出。

2016 年的「呂紹嘉指揮——天成禮讚 愛樂台灣，楊文信大提琴音樂會」，為中壢民眾帶來精采的大提琴協奏曲，以及理查·史特勞斯交響詩《唐璜》與貝多芬第五號交響曲《命運》。在音樂會中，我也看到許多來自台北的樂迷。

2017 年「張尹芳指揮——天成有愛 夢想燦爛《NSO 藍色電影院》」，邀請知名影評人藍祖蔚導聆解析，NSO 用交響樂演奏出多首享譽國際的電影配樂。

2018 年是「NSO 綠野講座音樂會」，這場是音樂家們第一次走出國家音樂廳，到桃園金色時代長照機構公演，我們邀請長照園區的爺爺奶奶和家人們及社區居民一起欣賞。

2019 年由天成醫療體系獨家冠名贊助，雲門舞集創辦人進入騰格里沙漠。

## 與企業家攜手關懷生態

說起月亮湖沙漠酒店，真的很有特色，根據飯店工作人員介紹：月亮湖沙漠酒店與一般旅館最大的不同在於特別重視環保，不用化學清潔劑洗滌盤碗、床單；客房也不提供沐浴乳與洗髮精，走的是環保飯店路線。

在阿拉善生態保護區裡，也禁止使用殺蟲劑或化學品，對於過慣現代都市生活的我們來說，看到餐桌上蒼蠅飛舞，房間床單因為沒有使用漂白劑，即使清洗乾淨卻不夠雪白等狀況，難免感到略為不便，可是我們都清楚，為了尋找尊重地球、節能減碳、環保綠化的生活方式，適度調整日常習慣，與志同道合的朋友攜手，為此生態保護區共同努力，是值得的。

從這趟旅程中，我也感受到中國企業家對保護生態環境所盡的社會責任。在 2011 年我們去阿拉善盟之前，中國大陸企業家就十分關心西北沙漠生態環境惡化，與影響人類生存空間的問題。

戰爭與過度開發，已經對阿拉善盟造成生態環境的浩劫。而騰格里沙漠更是造成北京每年沙塵暴的源頭之一，嚴重時不但影響韓國、日本，還會飄過太平洋，影響美國大峽谷國家公園遠眺北岸的景觀，甚至攜帶黃泥雨到台灣，造成民眾日常生活的不便。

之所以如此，是因為人類濫墾亂伐，導致地表荒蕪，加

為了鼓勵藝文活動，林懷民老師（左）及呂紹嘉總監（中）與樂迷對談創作歷程及心得。

林懷民攜手 NSO，重現普契尼經典歌劇《托斯卡》。在這場演出之前，我們特別舉辦大師對談講座，林懷民老師和呂紹嘉總監親臨中壢藝術館，與樂迷對談創作歷程及心得。

林懷民老師是台灣藝文界大師，他的初衷就是要讓藝術普及，將歌劇帶出國家音樂廳，使各地區的民眾都能領略藝術的美好；每次在中壢藝術館聆聽 NSO 的演出後，更堅定我的信心。

而我的信念就是要支持台灣最好的演出團隊，同時可提升社區文化，讓藝術進入地方，激盪出最美好的火花。

當晚，我也看到星展銀行董事總經理何子明專程從台北南下中壢，欣賞此次 NSO 的精采演出。

## 音樂會首次移師戶外

2020 年由於 COVID-19 疫情暴發，音樂會改在戶外舉行，地點選在天晟醫院新建的金色年華長照機構大草坪。這也是中壢地區在疫情期間首次舉行戶外大型音樂活動。

音樂會免費開放給地區民眾參加，因為有綠油油的草坪，當天我們也看到許多居民攜家帶眷，邊野餐邊欣賞音樂，讓大家在疫情陰影籠罩下，依然能夠感受音樂的熏陶。

回顧這幾年來不間斷支持音樂活動在中壢演出，豐富民眾的文化生活，帶領市民從音樂中找到感動，體驗藝術文化的美好，也讓更多人親近音樂、欣賞 NSO 的精湛演出。在音樂總監呂紹嘉的帶領下，NSO 成功地將音樂帶入社區民眾的日常。而我，做為推動這些美好時刻的一員，亦深感榮幸。

古典音樂在台灣常給人一種曲高和寡的感覺，有人因為擔心聽不懂，不敢進去兩廳院。一開始邀請 NSO 到中壢演出，很多人不太了解我們的用心，也很怕聽不懂。

而我和 NSO 展開合作之後，便開始帶著天成醫療體系的同事，從中壢藝術館再踏入台北兩廳院。

記得 2014 年第一次邀請 NSO 來桃園演出時，我幾乎都要拜託醫院同仁、街坊鄰居來參加音樂會；一、兩年之後，音樂會受到熱烈迴響，場場演出成功，鄉親們逐漸能欣賞音樂會的美好，愈來愈願意走進音樂廳。

（上）2020 年因為疫情暴發，改為戶外舉辦的 NSO 音樂會，溫暖旋律格外撫慰人心。
（下）夜幕低垂，中壢金色年華長照機構的草地上聚集人群，就為了欣賞 NSO 戶外音樂會。

在中壢地區連續多年舉辦音樂會，累積的成果陸續展現，讓我很欣慰自己做了正確的事。許多朋友和鄰居也因此漸漸培養出對音樂的興趣和習慣，音樂會從最初空位很多到一票難求，有些同事還因此成為兩廳院的常客。

由於長期支持 NSO，天成醫療體系已經榮升為兩廳院的尊貴貴賓。有時在音樂會開始之前，NSO 會在四樓貴賓廳特別款待我的同事們，以及我邀請的桃園市音樂愛好者。

NSO 的工作人員會特別安排備有紅酒和精緻茶點的專屬音樂導聆活動。我們一邊享受美食，一邊聆聽專家對即將演奏樂曲的精采解說，為我們的音樂之旅增添更多的色彩。

## 拉近中壢與藝術的距離

小時候學習鋼琴、當合唱團指揮的經驗，在我身上撒下音樂的種子，雖然時間不長，卻奠定我終身對音樂的喜愛與追求，更在潛移默化中培養出我自己的經營事業風格，因此，我始終想著要為台灣的音樂界做點什麼。

令人高興的是，這幾年在我們的努力下，已培養桃園地區一批忠實觀眾和愛樂人，有關心藝術的朋友告訴我，除了 NSO 在兩廳院的音樂會之外，他們也已經習慣關注中壢藝術館的節目，會去欣賞不同的藝文表演。

親眼看著短短幾年的轉變，我心裡無比感動，努力有了成果，不但讓 NSO 走出台北親近更多民眾，更拉近了中壢與藝術的距離。

# 聆聽藝術，感受文化

兩岸的互動除了政治、經濟，還有很重要的文化交流工作，多年前兩岸政府花費龐大的經費，推動文化交流，邀請文化工作者相互訪問、研究與參訪。我也特別在 2011 年 5 月「中歐七期．台北豐情」的活動中，安排藝術講座與台北故宮的參訪行程，特邀台灣國寶美學大師蔣勳老師，為中歐國際工商學院的 CEO 們介紹兩岸重要的文化交流活動——元朝文人畫大師黃公望的〈富春山居圖〉。

當時蔣勳老師正在台灣靜養，但是當他知道對岸中歐 CEO 班同學來台，便義不容辭來到故宮晶華酒店會場，展開〈富春山居圖〉的第一場演講。

這幅元朝名作，清初被燒成兩段，前段現藏於浙江美術館，後段則在台北故宮。中國大陸總理溫家寶先生極力促成兩岸聯展，於 2011 年 6 月 1 日在台北故宮合璧。我們能在此畫連璧前，躬逢其盛，搶先聆聽蔣勳老師對黃公望〈富春山居圖〉的賞析，真是莫大的榮幸。

蔣勳老師致詞時提到，他講了〈富春山居圖〉三十幾年，沒想到真的等到兩張畫合璧。他也知道中歐校友中有非常傑出優秀的企業家朋友，關注整個世界文明的發展，所以能和中歐 CEO 們分享心得，是很開心的一件事情。

蔣勳老師的演講，為中歐 CEO 們連日來的旅途奔波，提供了沉澱的時間和空間。讓大家得以神遊在黃公望的山水之間，聆聽他的山居歲月，也傾聽屬於自己內心的聲音。

## 名師講解，體悟更深

蔣勳老師說，做夢都不敢想，〈富春山居圖〉經歷三百多年分離後，能在台灣的故宮合璧。他等了三十多年就不算什麼了，更引用《孟子》「五百年必有王者興，其間必有名世者」，來形容這次的相遇。

蔣勳老師認為，黃公望的〈富春山居圖〉應被收入世界美術史中，因為畫中留白的呈現，以及線、點的處理，極具現代性。

他還認為瓷杯中空才有用，房屋堆積過多反而令人不舒服，並以莊子提到的無用之樹為例，「仰視其細枝，則拳曲而不可以為棟梁；俯視其大根，則軸解而不可以為棺槨」。被世人誤以為是沒有用的樹木，恰好是其逃過人類砍伐的原因。因此，無用之用，可以養生。

此幅留白過多的畫作，讓乾隆皇帝誤以為是贗品，反而逃過評點蓋印一劫。

2010 年追隨蔣勳老師的藝術學習之旅後，我到宏碁集團董事長施振榮所創立的「王道薪傳班」上課，課程中施董事長分享他的觀點，我十分有感。

他問，我們為下一代奠定哪些文化基礎？踏上國際舞台時，我們是否具有清晰明確的自我面貌？特別是在全球化的浪潮中，這些問題對我們提升競爭力具有深遠影響。因此，在多元的社會中，雖然藝術文化只是其中一項，但卻能使企業與個人更具魅力。

施振榮先生還精心安排一系列課程，讓兩岸企業家學員邊欣賞台灣藝術，邊學習企業經營之道，邀請「當代傳奇」劇場的創辦人京劇大師吳興國，帶領大家一起欣賞《李爾在此》和《慾望城國》等精采京劇演出。這些作品皆改編自莎士比亞的經典戲劇，通過東方京劇藝術的表現方式，呈現出西方文學的精髓，可謂獨具一格。

## 藝企合作推廣藝文

施振榮先生推動藝術與文化的精神令人欽佩，當時他擔任財團法人國家文化藝術基金會（簡稱國藝會）董事長，2014 年我成為國藝會之友，共同投入推廣藝文活動的工作。

灣聲樂團於 2017 年成立，以「古典音樂台灣化，台灣音樂古典化」為成團宗旨，廣邀年輕且受嚴謹養成的音樂家，一方面推廣台灣音樂，二方面更冀求「將演奏台灣作品成為台灣年輕音樂家們的使命」。

（上）施振榮董事長（右五）與灣聲樂團後援會委員們。

（下）「當代傳奇」創辦人吳興國（中）及夫人林秀偉（左二）。

（上）左起為宏碁共同創辦人黃少華、禮客集團董事長翁素蕙、作者、灣聲樂團指揮李哲藝。

（下）帶領天成醫療體系同仁們到台北松菸誠品表演廳欣賞灣聲樂團的演出，一同感受音樂所帶來的無窮力量。

2018 年 6 月灣聲樂團後援會成立，有十七名成員，由宏碁集團創辦人施振榮擔任會長至今，我於 2022 年加入後援會。灣聲定期舉辦活動，我們會一同前往創作基地參加音樂沙龍，大家在輕鬆氛圍的空間中共享音樂的美好。此外，灣聲樂團每個月還會在松菸誠品表演廳進行定期演出。

灣聲樂團的指揮李哲藝，是一位非常有趣的音樂家，指揮時會帶動現場氣氛，和聽眾互動，營造出有如倫敦亞伯特音樂廳的賞樂感受。每次演出都有特別主題，既包含傳統曲目，又融合現代音樂元素，欣賞灣聲樂團的表演絲毫不會覺得枯燥乏味。

李哲藝老師分享，有一位企業家夫人告訴他，她的先生陪她到音樂廳欣賞音樂大多是在打瞌睡；但是來到灣聲音樂會，有大家耳熟能詳動人的曲目，還有指揮家台上台下的互動，他已經懂得欣賞音樂不打瞌睡了。

透過導聆，也不需要擔心聽不懂，聽眾得以了解故事背景、曲目介紹與音樂來源。在聆聽過程中，大家都能如癡如醉地感受到音樂所帶來的無窮力量。

施董事長退休後，為紓解壓力，開始多方接觸藝文活動，對藝文生態逐漸了解，在任內推動「藝企合作」，希望從商業思維切入，為藝文界建立生生不息的生態。他是一位成功企業家，猶如科技界的梅迪奇家族，擅長匯聚各行各業的菁英來推動創新，同時也是藝術贊助者和支持者。

灣聲後援會成員之一的黃少華董事長，為宏碁共同創辦人，也是現任桃園市市長張善政當年進入宏碁時的面試主管。他說：「我力邀張善政進宏碁，是因為完全相信他的能力及為人操守，肯做事和能做事，他幫宏碁建造出世界級的資料中心，讓全世界排名前幾大的公司都落腳台灣。」

2022 年，我輔選張善政桃園市市長選舉，黃少華董事長表達了他對張善政的關心，同時感謝我的支持。這份同為愛樂人而串連起來的緣分，單純又美好，我很珍惜。

近來由於疫情緩解，各種藝文活動逐漸活絡，天成醫療體系也於 2023 年 5 月 5 日與禮客集團合辦灣聲母親節音樂會，邀請身兼新聞工作者、主持人及作家的前政治人物陳文茜，進行影像導聆。

當天活動十分精采，現場聽眾和灣聲樂團一起徜徉在女性作曲家的創作之中，這群才華洋溢的女性兼具多重身分，同時在音樂領域發光發熱，表現出生命的熱情與活力。

當晚，我們邀請的愛樂者有台灣女董事協會創會會長蔡玉玲、宏碁電腦共同創辦人黃少華董事長、研華董事長劉克振賢伉儷、女董事協會與世華會女董們，以及天成和禮客體系的朋友和同事們等，一同參與這場母親節的音樂饗宴。

## 世界舞台，大開眼界

因為長年走訪世界各地，除了學習與參訪，我同時也會和家人一起出國欣賞音樂與藝術表演。

多年前，兩個孩子都還在倫敦念書，每年我都會飛往倫敦兩、三次陪伴他們。特別是聖誕節前後，我們一起前往皇家亞伯特音樂廳參加聖誕慶典音樂會，這已成為我和孩子們每年在國外的重要聚會。

亞伯特音樂廳的聖誕慶典音樂會，會演奏許多歡樂的聖誕節新年樂曲，場內氣氛熱烈，滿溢著節慶的氛圍。此外，主辦單位也規劃出一些區域，讓觀眾可以邊品酒邊欣賞音樂，讓整個音樂會更顯得輕鬆愉快。

其中，讓我印象最深刻的，莫過於「聖誕頌歌跟著唱」音樂會。在指揮的帶領下，全場觀眾一起動態欣賞音樂，彷彿所有人都融入其中，一同跟著音樂律動，度過一個非常愉

倫敦亞伯特音樂廳的聖誕慶典音樂會，觀眾邊品酒邊欣賞音樂，讓音樂會更顯得輕鬆愉快。

快的夜晚。我深深感受到音樂所帶來的魔力，能夠讓人們放下所有壓力，全心投入其中，感受到歡樂和溫暖。

做為一個音樂愛好者，我體驗到音樂的力量。因此，回台後立即與當時的 NSO 執行長邱媛（現任台中國家歌劇院藝術總監）分享感動，希望在台灣的演出場合能有類似倫敦亞伯特音樂廳聖誕音樂會的演出，讓觀眾不僅是聆聽音樂，更能互動參與其中。

對於古典音樂和表演藝術，很多人可能感到陌生，害怕無法理解。但我認為，音樂不是為了讓人理解，而是為了讓人感動與欣賞的。在現代社會，藝術要擴及於大眾，只要保持好奇心，每個人都可以親近藝術。

我自己也是因為對音樂的熱愛，重新學習鋼琴，並且常與身邊的親朋好友分享自彈自唱的快樂。有朋友受我影響，60 歲後才開始學鋼琴呢！可見即使年齡再大，只要擁有一顆赤子之心，樂於學習，美好的事物總是能吸引人們，也會讓生活更加充實。

第六章

# 建築美學

# 建築藝術是國家文明的靈魂

建築是視覺藝術之母，沒有我們自己的建築，我們的文明也就沒有靈魂。中國建築史學家、建築師、城市規劃師，一生致力於保護中國古代建築和文化遺產的梁思成也說過：「史上每一個民族的文化，都產生了它自己的建築，隨著這文化而興盛發展。」

這樣的理念對應到企業管理，我的詮釋是：「外在建築是企業內在的表徵。」因此，這些年來，因為要興建新醫院和醫養合一長照機構的建築，我持續學習建築藝術，並到歐美國家進行實地參訪考察。

## 行家領軍暢遊雙城展

2008 年，在英國求學的兒子從倫敦飛到西班牙馬德里與我會合，參加西班牙世界博覽會及義大利建築與城市發展觀摩之旅。

這趟學習之旅，是由交通大學建築研究所所長張基義教授親自領軍解說，他畢業於淡江大學建築學系，是哈佛大學設計學院碩士、俄亥俄州立大學建築碩士，2011 年擔任台東縣副縣長，著有《歐洲魅力新建築》、《看見北美當代建築》等書。

這次藝術學習的主題是，參觀 2008 年西班牙薩拉戈薩世界博覽會（2008 Zaragoza International Expo）及義大利當代建築與城市發展，跨越歐洲兩個國度的藝術展覽，一次體驗不同文化孕育出來的建築內涵，格外有意義。

行程安排上，我們先飛馬德里參觀當代建築，然後前往薩拉戈薩（Zaragoza）參觀主題訂為「水與永續發展」的世界博覽會，再到巴塞隆納參觀當代建築。

穿梭各城市間，我們除了搭乘長途大眾陸地運輸，也夜宿地中海郵輪，深夜從西班牙巴塞隆納開抵義大利的利佛諾（Livirno）。旅途中參觀各地的歷史建築與文化資產，包含西班牙巴塞隆納、義大利熱內亞哥倫布港港灣開發計畫（Columbus Circle）、西恩康波廣場、比薩斜塔、佛羅倫斯聖母百花大教堂，以及波隆那（Bologna），最後前往威尼斯參觀第十一屆威尼斯建築雙年展。

沒想到在此，我們巧遇鄰居呂伯伯的公子呂理煌先生，他也是建築師，專程到義大利威尼斯建築雙年展開會，我平常很少見到他，卻在威尼斯相遇，世界真的很小。

由於展區是依照不同國家進行分類，參觀過程中，可以感受到人潮總是湧向國力雄厚、內容豐富的國家館，以至於

2008 年威尼斯建築雙年展時，我特別參觀右方的台灣作品，手指之處說明該作品來自於台灣。

參觀這些館區都要排上數小時。之所以如此，是因為有些貧窮國家礙於經費，展出的內容十分有限，甚至只能在現場販售該國手工藝品，而參觀者時間有限，必須有所取捨，當然會優先前往特定、有特色的國家館。

參加建築藝術美學之旅多年後，2022 年 12 月 10 日，於哈佛大學校友會上再次見到張基義教授，他已經是台灣設計研究院院長。

## 每一次都有新收穫

建築學習之旅包括比薩斜塔、佛羅倫斯聖母百花大教堂

2022年12月在長春藤盟校慈善晚會（Ivy League Holiday Ball）再次見到張基義教授（台灣設計研究院院長），他教我認識許多歐洲建築結合美學的實際案例。

與烏菲茲美術館（Uffizi Gallery），雖然我已來過數次，但每每都跟不同成員造訪。有時是蔣勳藝術大師、張基義建築大師，透過他們的引導解說，可以獲得不同的大師解讀文化藝術與建築美學知識；有時則和中國大陸企業家朋友或家人同行，每回都讓我有不同的收穫與心得。

義大利的建築藝術展現出一種曾經統一地中海、威震八方的羅馬帝國獨特的浩然大氣，以及領導世界天主教的慈悲愛心，更看得出這座城市曾經領導歐洲文藝復興的澎湃創意，讓我深刻感受並認同「建築藝術是國家文明的靈魂」這句話。

西班牙的建築，則是不同的風格。我印象特別深刻的是馬德里當代藝術館（CaixaForum），其前身為電力站，是一棟超過一世紀的舊工業建築，建築主要形式為傳統的磚牆雙坡屋頂。

2001 年，西班牙凱克薩銀行（La Caixa）的基金會耗資 9,400 萬美元，巧妙地保留這棟歷史遺蹟，在平凡無奇的傳統磚牆建築之上增建兩層樓，並以通花鏽鐵圍繞，利用舊建築創造新的潮流設計，建立了一個藝術廣場。

法國植物學家帕特里克·布朗克（Patrick Blanc）在入口廣場北側鄰近建築的牆面，設計了一座高達 24 公尺，面積 600 平方公尺的「垂直花園」，種植 1,500 株、共 250 種不同類型的植物，使得 CaixaForum 建築上的暗紅鏽鐵與綠意盎然的植物形成強烈對比，成功吸引往來旅客的目光。

CaixaForum 地下挖空設置入口，參觀者要從地下一層進入，沿著極富科幻感的樓梯徐徐而上，才可走到大堂。入口樓梯以不鏽鋼三角形包圍，具有極強烈的雕塑感。我們都很好奇地去觸摸它的天花板，因為其特殊之處在於入口天花板非常低矮，狀似可以「隻手撐天」，我兒子也很頑皮地用手撐著。CaixaForum 的對面，則是馬德里普拉多博物館（Prado Museum）。

透過建築之美，不但能了解城市與國家的文化演變，更像是穿梭在歷史長流中，能發思古之幽情，有助於開拓視野、累積美學素養與喜好。

# 向梅迪奇家族致敬

幾次在佛羅倫斯進行深度旅遊時，經常看到古代建築物牆面上有一個圖案，其上有幾個圓形，看似餅乾，有人說是藥丸，也有人說是錢幣。其實，那是梅迪奇家族的家徽。

有人說梅迪奇家族的祖先是以經營銀行事業起家，也有人說是曾經從事醫藥領域，因為 Medici 與 medicine 有相同字根。或許因為我是從事醫療行業的創業家，所以傾向把它想成是六顆藥丸的家徽。

## 梅迪奇家族傳奇

梅迪奇金融家族於 15 世紀至 18 世紀中期，在歐洲擁有強大勢力，是佛羅倫斯的名門望族。

梅迪奇家族深刻影響西方文明，在許多古老建築上都能看到他們的家徽。

梅迪奇家族的後代子孫，幾百年來因為贊助與推動科學與藝術的發展，在歐洲文藝復興時期，扮演了十分重要的關鍵角色，可說是復興歐洲文藝的 CEO 家族。

數百年來，梅迪奇家族雖沒有出現過偉大的藝術人物，卻留有優異的 CEO 基因，在經濟、政治與宗教各領域的高階管理表現得非常傑出，成為人類藝術文明的保護者。

哈佛管理學院出版社在 2004 年出版了美籍瑞典企業家佛朗斯．強納森（Frans Johansson）所著的《梅迪奇效應》（*The Medici Effect*）一書，以梅迪奇家族促進新觀念的經驗，告訴讀者如何創造「交叉點」（intersection），在那裡找到新構想，改變了世界。

交叉點所暴發出來的驚人創新，稱為梅迪奇效應（Medici Effect），可見這個家族對世界文明影響之深遠。

這個家族的影響力，我舉幾個案例，讓大家更有體會。

義大利著名景點比薩斜塔、佛羅倫斯聖母百花大教堂的大穹頂，想必大家都耳熟能詳，而女生最愛穿的高跟鞋，更是日常必備品，這三者都與推動文藝復興的梅迪奇家族有關。

儘管這個家族因為商敵、政敵與教敵，成員常常被嚴重打擊、驅逐與殺害，但是梅迪奇家族每一世代都會誕生傑出的 CEO 人才。

他們經營管理的能力令人嘖嘖稱奇，從羊毛、醫藥到銀行，事業版圖一再擴充，藉著所賺得的錢，投資藝術學校、公立圖書館，重視優質人才，大力支持藝術大師與科學家，如米開朗基羅、達文西，以及曾經在比薩斜塔做自由落體實驗的伽利略，都曾經獲得梅迪奇家族的支持。

而義大利知名建築師與工程師菲利波·布魯內萊斯基（Filippo Brunelleschi）也是在梅迪奇家族的支持下，神乎其技地在佛羅倫斯聖母百花大教堂設計中，用磚建造世界最高大的穹頂。

梅迪奇家族子孫中，培養出公爵、教皇、英國貴族與法國皇后，同時點燃了自由創造的心靈火花，也間接促成了宗教改革。

佛羅倫斯聖母百花大教堂大穹頂，對文藝復興有明顯的歷史意義。教堂於 1296 年起建，卻在 1347 年秋天因暴發黑死病迫使工程中斷。恐怖的黑死病橫掃歐洲，在當時衛生條件甚差的居住環境下，造成大規模死亡。

沒人知道疾病如何傳染，甚至在西班牙有人開始討論，為何猶太人的黑死病死亡率較低，認為是猶太人故意下毒，因此掀起一波迫害猶太人的風潮，導致許多西班牙猶太人逃亡至義大利。

至於為何城裡的猶太人沒有遭受黑死病侵襲，原因之一是基督教徒不想與猶太人同住，於是猶太人自成一個社區，反而因此保住生命。

另外一個我認為較趨近真實情況的原因是，猶太人依照《希伯來聖經》的規定行事，公共衛生習慣向來很好。

## 積極進入政治核心

梅迪奇家族分支眾多，有些家族成員積極參與政治，善用金錢聯合不同勢力，精於談判，甚至成為佛羅倫斯的管理官員。其中最著名的非羅倫佐‧梅迪奇（Lorenzo de' Medici）莫屬。

羅倫佐是一位外交家、政治家、學者、藝術家和詩人的贊助者，也是佛羅倫斯的實際統治者，他的逝世代表著佛羅倫斯黃金時代的結束。

羅倫佐過世後，梅迪奇家族被判刑驅離，但幾年後由於缺乏商業人才，佛羅倫斯市況蕭條，人民開始反抗，重新迎回梅迪奇家族。

這次事件讓梅迪奇家族開始培養宗教領袖人才，有幾個孩子從 7 歲就被送進修道院，最後有三人成為教宗；另外，一位梅迪奇女孩在 14 歲時嫁到法國皇室，後來成為法國著名的皇后，她正是羅倫佐的曾孫女凱薩琳‧梅迪奇（Catherina de' Medici）。

凱薩琳個子矮小，相貌不美，卻是文藝復興時期的時尚象徵。

1533 年，凱薩琳在結婚典禮中，穿了歷史上第一次出現的高跟鞋，把香水變成巴黎城中的時髦物品，還將摺扇、鑽石等切割工藝和便於騎馬的襯褲帶進法國王室。

凱薩琳對法國最大的影響是帶進義大利精絕的烹飪技術，她以嫻熟高雅的姿態，用刀叉切牛排，以晶瑩剔透的玻璃杯布置餐桌，教法國貴族吃霜淇淋和花色肉凍。夫婿亨利二世去世後，她漸漸顯露出政治上的天分，面對困難的政治環境，統治法國長達十五年。

## 創新者的 DNA

梅迪奇家族在創新領域也是一個重要的案例，他們在文藝復興時期大力促成佛羅倫斯的發展，邀請不同領域的人才匯聚，彼此交流學習，這樣的聚會被稱為菁英思想平台，促進了文藝復興。

梅迪奇家族熱愛贊助文化活動，蒐集大批圖書及手稿珍藏在柏拉圖學園的別墅中，並對公眾開放，而其大量收藏藝術珍品，如今已經成為佛羅倫斯烏菲茲美術館的核心展品。

我曾經參加蔣勳老師的藝術欣賞之旅，在義大利與西班牙欣賞聖母百花大教堂、韋基奧宮、市政廣場與烏菲茲美術館，聆聽蔣勳老師親自解說；但近年來蔣勳老師不再帶藝術之旅了，十分可惜。

記得跟著蔣勳老師造訪烏菲茲美術館時，欣賞許多館內珍藏的文藝復興傑作，如達文西、米開朗基羅等人的作品。馬基維利雖曾捲入梅迪奇家族政治風波，卻因其政治智慧與思想，成為梅迪奇家族的重要人物，所以他的雕像也在烏菲茲美術館展示。

說起烏菲茲美術館，很多人不知道，烏菲茲（Uffizi）與英文 office 相通，是辦公室的意思，原是梅迪奇家族從商轉政後，梅迪奇公爵的行政中心。

由於長年資助藝術家，所以這些創作繪畫都歸梅迪奇家

烏菲茲美術館原本是梅迪奇公爵的行政中心，後代捐作美術館，收藏許多文藝復興時期的作品。

2010 年參加由蔣勳老師（左二）親自解說的藝術欣賞之旅，收穫良多，非常難能可貴。

族所收藏。幾百年後，梅迪奇家族成員之一安娜．瑪麗亞．路易莎．梅迪奇（Anna Maria Luisa de' Medici），由於沒有後裔，便將這棟建築物與其收藏的藝術品，全數捐給佛羅倫斯所在地托斯卡尼市政府，做為藝術館，並於 1765 年正式對公眾開放，從此烏菲茲就成了全世界收藏文藝復興時期藝術品最豐富的美術館。

## 尋找華人的梅迪奇

梅迪奇是一個充滿傳奇的家族，有能力將經商知識化成金錢，將金錢投資藝術。重視非傳統的家族教育，善於建立國際社交網絡，容忍天才的脾氣，使用各種專家的智慧，創造出世界著名的藝術品。

在義大利佛羅倫斯的街頭，可以看見科西莫・梅迪奇（Cosimo de' Medici）騎馬傲立街頭的雕像。科西莫創立了影響歐洲文藝復興的家族，點亮了歐洲中古時期的黑暗。最令人敬佩的是，從科西莫、羅倫佐，到法國皇后凱薩琳，幾百年來梅迪奇家族男女對藝術、知識與生活品味的追求，提升了義大利與法國的美學素養。

我敬佩梅迪奇家族對人類文明進展的貢獻，更期待華人世界也能出現類似梅迪奇家族的商人世家，推動中華文明的文藝復興。

2011 年第九屆華人企業領袖高峰會，主題是「創新・突破：匯合華人科技・資本・人才」。我受邀主談一場專題論壇「產業創新合作改變人類生活」。在紐約大學理工分校校監張鍾濬主持下，與工研院生醫所所長邵耀華、信中利資本集團董事長汪潮涌一同在會中提出看法。

我特別提到，自己過去幾年多次深度遊歷美麗深邃的佛羅倫斯，每每看到梅迪奇家族對於文藝復興的影響。想到中華文化要在世界文明舞台重新發光，也應當拋開僵硬框架的限制，自由開放與各界菁英交流，產生創新的原動力。這也應該是遠見・天下文化事業群創辦人高希均教授的雄心與智慧：如何像梅迪奇家族那樣，匯集全球華人菁英，結合資本的力量，產生創新與突破的機會。

第七章

# 人生轉折點

# 從醫院走進國會

2019 年 11 月中國國民黨公布不分區立委提名名單，我排名第 11，有名嘴分析國民黨不分區立委當選席次不會超過 11 名，而我正是第 11 名。

每個政黨在提名不分區立委時，各界都會針對名單進行討論與批評，但不諱言的是，國民黨經常受到最多關注。許多媒體名嘴議論名單上的候選人是誰、是否靠關係或人脈進來等。

我是醫療體系的創辦人，專業領域是醫療科技和長期照護，經常受邀參加企業界、醫療產業及知名媒體的論壇或演講，在政黨投票時，也獲得許多醫療專業人士的大力支持，雖然有些名嘴對我提出評論，可能是他個人對我不太熟悉的緣故。

大選期間，我到各醫事團體、公會拜訪，受到許多同行支持，他們告訴我，過去政黨票大多支持民進黨，比較沒有投國民黨，但這次因為我在不分區名單內，所以會號召同仁與親朋好友，政黨票支持國民黨。聽到這席話，我十分感動，很謝謝醫療界朋友的信任與支持。

2020 年 1 月 11 日，經過激烈的大選開票過程，政黨得票結果，不分區立委當選席次國民黨與民進黨各 13 名、民眾黨共 5 名、時代力量共 3 名。國民黨與民進黨平分秋色，這樣看起來，醫療界部分政黨票由綠轉藍支持國民黨，我也有貢獻。

選舉結果出爐之後一小時，我就接到桃園市市長鄭文燦（現任行政院副院長）的恭賀匾額，以及立法院院長蘇嘉全的恭喜。第十屆立法委員當選席次共 113 席，區域立委 79 席、

擔任衛環委員會召委，主持會議時，主席座位旁有主任祕書及專門委員協助。

不分區立委 34 席。

## 期許自己做好專業立委的角色

2020 年 2 月 1 日第十屆立法委員報到日，當天 113 位立委都帶著親朋好友或族群代表的特色，到立法院走紅毯。

我是醫療科技長照不分區立委，在家人和天成醫療體系醫、檢、藥、護同事們穿著專業白袍的陪同下，大家攜手走紅毯。從這一刻起，我知道自己的身分又多了一個立法委員，職責是監督政府，要為人民發聲、為選民服務。

身分轉變猶如斜槓人生，我的心情既期待又有使命感，期待的是有這個機會可以破除個人框架，迎向人生新的挑戰，要對得起民眾的支持與信任。

之前，做為一個醫院經營者，身在產業界，關注的是醫療發展的「點」，與超高齡化社會的到來，國人對高齡照顧的期待與需求，發展出長照產業；從醫療連結到長照，由「點」到「點」連接成「線」，逐步規劃出醫養一條龍的藍圖。而這些大多著重在自己的事業，想著要怎麼讓天成醫療體系擁有更美好的願景、員工擁有更好的發展。

一旦卸下天成醫療體系董事長的身分，成為立法委員後，要著重的是看到整個「面」與「立體空間」。

相較於其他立法院同事，大部分有豐富選舉或從政多年的經驗，非常了解議事規則，而我則是一上任就要立即上手，成為一個稱職的立法委員。因此從第一天開始，我便兢就業業，期許自己以醫療科技長照專業的立法委員，監督政府，為民眾發聲，不負選民期待。

## 透過社群平台讓大家認識我

這也意謂著，我得學習透過平台與民眾互動，傾聽民眾的聲音。以前，我一向注重隱私，沒有在臉書發文的習慣，但是成為立法委員之後，要透過社群平台讓大眾了解我每天問政的內容，以及關注的重要議題，並且藉此跟社會大眾溝通交流。

漸漸地，朋友跟其他領域專家，開始習慣透過臉書了解我的動向，以及我所質詢的各項議題，還有朋友誇獎我的臉書很有內容、寫得很好，平常都有在追蹤、閱讀，也有女性朋友關注我的穿著及儀態，甚至有媒體報導我是一位懂得穿衣哲學的形象女立委。

我一向很欣賞內外兼修、穿著得體的女性，這種觀念源自於受日式教育的母親。從我年輕創業開始，她就一直很關心我的穿著。而夫婿很早之前就建議我關注英國女王、美國前國會議長裴洛西（Nancy Pelosi）以及 CNN 主播的穿衣風格，因為她們的穿著有品味又有氣勢，有助於我在展現專業 CEO 形象的同時，也兼具女性魅力。

每次在立法院遇見王美惠委員時，她都會大聲叫我「漂亮寶貝」，雖然我覺得有點不好意思，但是對於外界認同我的穿衣哲學，也感到很開心。

開會或質詢時，我喜歡穿著套裝。

2022 年，美國國會議長裴洛西來台訪問，我的設計師就自豪地告訴客戶，她早已知道裴洛西，因為多年前我就經常建議設計師，設計女性領導的穿著，可以向美國裴洛西議長多學習。

的確，衣著代表一個人的風格與品味，在特定的場合，依照身分，穿上合適的服裝，不但能展現魅力，也可自信地與人群互動，讓外界在認識你的同時，也能感受到你對生活的態度。

# 角色轉換的第一堂課

2020 年 2 月 21 日立法院開議，我有些忐忑，因為第一次當立委，不諳立法院議事環境，我要認真準備每星期的委員會質詢和院會總質詢。

當時，全球正關注和擔心新冠疫情的暴發，我國也不例外。在開議的第三星期，3 月 7 日衛生環境委員會討論有關防疫議題時，我便針對人是否會傳染給動物，再由動物傳染給人的疑慮，質詢農委會。

## Lulu 事件，化危機為轉機

質詢時，我同步配合投影片，其中出現了一張我最愛的小狗 Lulu ，那是我牽著 Lulu 散步的照片，被助理放進質詢投影片中。我一看到可愛的 Lulu，忍不住說了聲：「Lulu, I love you.」

當天，有多位記者打電話給我，追問質詢中有關 Lulu 之事，我回答 Lulu 是我家的寵物，每天出門都會先跟牠親親，並說「I love you」。於是，那晚電視新聞開始不斷播放我在質詢中談到 Lulu 的片段，第二天甚至大肆撻伐，批評我質詢時的表現很不專業，各大電視媒體一再重播那短短幾秒質詢影片，加上談話性節目的評論，鋪天蓋地而來。

基本上，立法院各委員會每位立委質詢時間都是八分鐘，當天我質詢時只有短暫提到 Lulu，報導卻說我講了十幾分鐘，媒體及網軍為了衝收視率及點閱率，大肆重複報導，讓我在一星期之內瞬間變成網路聲量最高、最知名的政治人物，這是我從未有過的經驗。

當時，我的辦公室主任詹為元（現任台北市議員），他

在國會進行總質詢之前，自己必須先做足功課，才能切實地要求官員們針對問題提出解決方案。

曾是郝龍斌市長和丁守中參選台北市市長時的發言人，熟悉媒體界，對於 Lulu 事件的危機處理，我們經過討論和研究後，決定面對媒體做出說明。

於是，3 月 16 日，我召開記者會，為了讓社會大眾了解當天質詢的真實內容，還原質詢始末，同時提出學理討論的依據，理性回應，我表示，當初進入立法院的初衷，是關心民眾健康、長照等議題的決心，這些目標仍然是我努力的方向。當然，我也會調整步伐，上緊發條，讓民眾更認同我的努力和付出。

身為立院新鮮人，在質詢技巧上確實還有很多需要學習

前中天電視董事長鄭家鐘（右）一直是我亦師亦友的學習對象，中間則為中經合集團董事長劉宇環。

的地方，但我和每一位委員一樣，關心民眾的心意不變，每次質詢也都有關注的核心議題。當天的質詢，我關心的重點在於防疫期間毛小孩的被照顧權，身為飼主的我感同身受，很可惜議題卻被誤解了。

事後，我在臉書上完整呈現質詢內容重點，許多網友表示認同，認為我的表達很有專業性，紛紛留言鼓勵。

這次事件後，我也提醒自己不忘虛心學習的初衷，面對不同任務與角色時，秉持把事做對的態度，同時傾聽外界聲音，持續保持進步的動力與能量，必能度過各種難關。

事後省思，我之所以習慣講「I love you」，可能是因為我在圓桌教育基金會[7]上課時，把「I love you」當問候語有關，我認為這是一種拉近彼此距離的親切表達方式，未料卻引起一場風波。

這也讓我回想起，在圓桌教育基金會上課時，我的師兄是前中天電視董事長鄭家鐘，在他身上我學到很多對人的關懷。2023 年 2 月，很高興在我們共同的朋友創投教父美商中經合集團董事長劉宇環《寰宇情懷》新書發表會上再次相遇。

7 財團法人圓桌教育基金會，倡導「人的使用手冊」觀念，以辦理生命教育來提升人們之生命品質，不僅讓自己活得更好，進而協助人們擁有健康、智慧、富足的生活為宗旨。

# 第八章

# 倡議

# 重視醫療科技與長照

立法院社會福利及衛生環境委員會簡稱立法院衛環委員會，為立法院常設委員會，審查衛生、社會福利、環境、勞工、消費者保護政策及有關衛生福利部、行政院環境保護署（已於 2023 年 8 月 22 日升格為環境部）、勞動部掌理事項之議案。進入立法院後，我擔任衛環委員會委員。

隨著數位化時代來臨，醫療結合科技已成為新世代產業變革的浪潮中不可阻擋的趨勢。做為出身於醫療專業背景的立法委員，我一直關注醫療科技的發展。

記得有一次總質詢，我向當時的行政院院長蘇貞昌、經濟部部長王美花和科技部（已於 2022 年改制為國家科學及技術委員會）部長吳政忠提問：「什麼是醫療科技 ABCD ？」

吳部長回答：「A 是 Artificial Intelligence（人工智慧），B 是 Block Chain（區塊鏈），C 是 Cloud Computing（雲端運算）……」提到最後的 D 時，他想了一下。我告訴他，最後的 D 是 Big Data（大數據），並稱讚他：「部長您很棒，已說得出 ABC 的意義了。」

自那次質詢之後，每當我在立法院遇到科技部官員，他們稱我為「醫療科技 ABCD 立委」，從此我又有了一個新稱號。我在立院研究室的牆上貼了醫療科技 ABCD 的海報，提醒自己「醫療科技 ABCD 立委」所代表的意義。

## 醫療與科技結合，難關待突破

近年來，COVID-19 疫情加速了產業變革，也加強了人們對遠距醫療的需求，使線上和線下的界線變得模糊。

雖然醫療科技在疫情之前已經備受矚目，例如 Google Health 在 2018 年成立健康事業部門，聘請加州大學洛杉磯分校的醫療專家 David Feinberg 擔任執行長，帶領 Google 進軍醫療科技產業。然而，2021 年 8 月，Google Health 的執行長 David Feinberg 辭職回歸醫療界，這也意謂著 Google Health 的挫折。Google 健康事業部門進行組織重組，而 IBM 也決定出售其 AI 醫療的 Watson Health 公司。這兩家科技巨頭在數位醫療領域的挫折，引起了業界的關注。

我認為，這是因為他們偏重科技，而忽略了醫學臨床流程的複雜性以及醫療場域的變化性。因此，醫療科技發展的關鍵應該在於讓優秀的醫療品質、醫護人員與科技產業合作整合，共同打造更好的醫療服務。

科技業界亦日益重視這一問題，在 2021 年國家生技醫療產業策進會年會上，廣達集團創辦人林百里表示，儘管台灣資通訊科技（Information and Communication Technology, ICT）產業技術強大，但如何經營醫療，對 ICT 產業而言仍是一大難題。若無法改變過去的經營技術與模式，可能導致「英雄無用武之地」的困境。

我們共同體會到，當全球都在爭奪智慧醫療市場的時候，台灣絕不能袖手旁觀。

據 2014 年「滙豐海外醫療服務現況調查」指出，台灣在醫療品質和醫療負擔能力方面均表現出色，另外，台灣的 ICT 實力在全球名列前茅。

擁有全球頂尖的醫療和 ICT 資源，我們透過醫療與科技的結合，讓強者聯手，共同推動醫療數位轉型。在這兩大優勢的相互支持下，相信第二座「護國神山」乃至護國群山，都將近在眼前。

除了醫療科技之外，我也十分關注高齡就業的問題。

隨著出生率的下降，台灣已走向少子化社會，衍生而來的就是人口快速老化。台灣將在 2025 年進入超高齡社會，意謂著每五人之中，即有一位 65 歲以上的老人。

因此，如何看待熟年，如何面對人生中的第四個二十年，是眾多國人需要預習的課題。長壽，不應該是負擔，而是一項「禮物」。

「莫道桑榆晚，為霞尚滿天」，一千多年前唐朝開成年間，詩豪劉禹錫描繪的人生意境，令人神往。金黃色的晚霞，並非人生的暮色，而是富含人生歷練、擁有財富的金色

## 醫療科技 ABCD 實際應用

### A Artificial Intelligence 人工智慧

醫療應用
- 遠距醫療
- 智慧病房
- 醫療機器人
- 達文西微創手術系統
- AI 智能診療及影像識別
- 精準醫學的健康管理

### B Block Chain 區塊鏈

醫療應用
- 區塊鏈具有不可竄改的特性
- 能為醫療保健資料庫提供安全性及保護病患隱私
- 將其落實於轉診服務的病歷共享及未來醫療保險的理賠

### C Cloud Computing 雲端運算

醫療應用
- 與科技公司合作開發醫療保健雲
- 建置健康存摺 APP
- 將病患的個人健康數據及用藥紀錄儲存於雲端
- 做好健康管理及疾病風險評估
- 提供精準而有效率的醫療服務

### D Big Data 大數據

醫療應用
- 利用健保資料庫及導入電子病歷（EMR）所產生的大數據
- 各種疾病的分析及治療，包括 B 型、C 型肝炎的治療，幽門螺旋桿菌的療效比較
- 研發影像學（X 光及 CT）判讀模型等，研究已有具體成果

年代，應當閃耀著熱情光芒、散發生命活力。熟齡階段仍可能完成自己的「人生夢想清單」（bucket list），努力工作、休閒娛樂、活躍社交、持續運動、減少久坐、積極學習，都是保持健康的心法。

很幸運，我在剛進入熟年時，就前往國際多所知名商學院遊學，藉由見聞與持續學習，省思經營管理實務，進而內化實踐；近年又從醫界進入政界，運用醫療長照的專業經驗，關心眾人之事，推動醫療、健康科技。

## 重視中高齡勞動力就業問題

隨著超高齡社會即將到來，如何形塑「熟年心生活」，使高齡者不被生理年齡所限制，秉持「吾齡」心態，樂於投入勞動參與，是我不斷思索的課題。

2021 年我曾於立法院衛環委員會，引用 OECD 國家 2020 年高齡者勞動參與率數據，藉由比較各國 65 歲以上高齡者勞動參與率，向勞動部質詢「中高齡者續留或重返職場」的議題。其中，相較於韓國高齡者勞動參與率為 35.3%、冰島為 31.6%、日本為 25.5%，我國僅有 8.8%，顯示在政策與就業環境上，仰賴現有《中高齡者及高齡者就業促進法》成效依然不彰。

進一步探究韓國高齡者勞動參與率高的原因，我關注到兩則成功經驗。一是熟齡企業 EverYoung，以 55 歲以上為聘雇對象，並以降低工時、減輕長者體力負荷等方式，佐以大量在職教育訓練、配合長者再就業的自我期許，進而率領高齡者為公司創造漂亮的營收成績單。二是首爾市的「50+ 人才復興計畫」，結合市區內學校與政府資源，改變傳統以長者就業媒合為重心的服務模式，強調熟齡族群的職涯探索，使其找到「我想做的工作」，並從中獲得被肯定的經驗價值。

幾年前我到日本旅遊，到訪一家服務生都是七、八十歲長者的咖啡店，看到他們就像年輕人一樣開心工作；與年輕人服務比較不同的是，長者較有空和我們聊天，讓客人感到較有溫度。

漢朝初年有四位隱士，向來隱居商山，年齡都已八十多歲。漢高祖劉邦幾次徵召回朝而不得，之後四人出山輔佐太子劉盈，後世稱之為「商山四皓」。以現代而言，這不就是年輕工作時努力學習、認真工作，退休後仍可回職場工作，或成為企業顧問嗎？

我認為，使長者找到「對社會有意義的事」與「我想做的工作」，並從中獲得正向肯定，適足以成為我國擬定中高齡者就業政策的參考，並可進一步促使企業探索長者優點，使其仍有機會於工作中獲得成就，同時更能為企業注入社會責任、穩定中高齡者的勞動參與，帶來雙贏。

## 讓長照不再是一曲悲歌

長期照護問題一直是台灣社會的痛點，更是家庭的沉重負擔，然而，政府的長照政策卻未能解決問題。監察院曾

身為立委，最重要的責任就是為民眾謀求最大利益。

糾正衛福部，指出現行政策過度傾向居家式與社區式照顧服務，忽略住宿式照顧服務，但糾正迄今尚未見效果。

政府應該進一步了解問題，並解決問題。目前長照需求等級高達七級以上的個案不少，長照 2.0 服務項目卻仍未納入住宿式機構，加上政策缺乏因勢利導，住宿式機構無法有效發展。以 2021 年來說，國內住宿式長照床數缺口，已經超過六萬床。

因此，政府應導正現況，將住宿式、社區式到居家式機構數量呈現金字塔的分布調整為橄欖形分布，並擴大具住宿式長照需求者所能享有的給付及補助，切合實際需求，解決

## 照顧政策應該轉型

**現行政策過度傾向居家式與社區式照顧服務，忽略住宿式照顧服務，政府應導正現況，切合實際需求，將住宿式、社區式到居家式機構數量呈現金字塔的分布，調整為橄欖形分布，解決長期照護問題。**

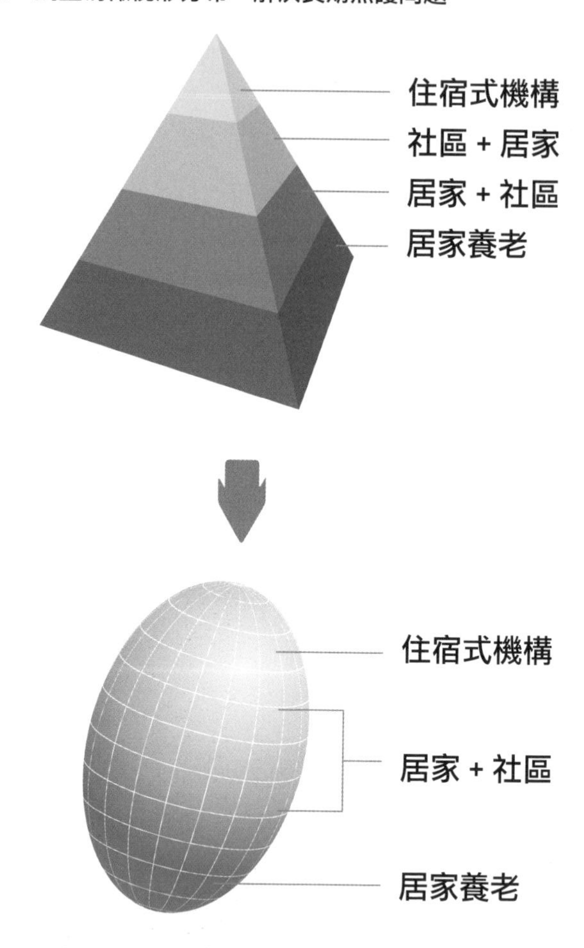

長期照護問題。經我多次質詢長照住宿式機構議題後，2021年政府提供住宿式機構使用者補助方案每床每月五千元，到2023年提高為每床每月一萬元。

衷心希望，政府與民間組織攜手合作，為長者及其家庭建構出一個綿密的長照安全網，能讓長輩安心享受銀髮生活，減輕家庭及照顧者的負擔，讓長照擺脫悲傷的音符，譜出一段愉悅溫暖的樂曲。

# 關懷環境與生命

除了關心醫療科技與長照議題，我對於環境保護及生命關懷也十分重視，特別是淨零碳排議題，已經成為世界各國首重推動的政策，尤其在 2016 年聯合國《巴黎協定》中提到溫室氣體的減量標準，令各國政府嚴陣以待，紛紛擘劃相關策略與目標。

事實上，台灣溫室氣體減量的具體作為上，遠遠落後、不足其他國家。因此，當國際發起 ESG 全面要求之後，我國必須更關注綠電、節能減碳、降低二氧化碳、碳稅、使用電動車等環保議題。

如今，金管會已經要求實收資本額達二十億元的上市櫃公司，必須編製和申報永續報告書，列出企業投入 ESG 的相關說明。

借鏡其他國家的做法，以美國市值前三千大的公司為例，ESG 評分愈高的公司，受金融危機波及程度愈低，原因在於企業長期投資社會資產，得到投資人的信任，帶動公司

ESG 三大面向關注重點

| E<br>Environment<br>環境保護 | S<br>Social<br>社會責任 | G<br>Governance<br>公司治理 |
| --- | --- | --- |
| 空氣汙染 | 人權 | 商業倫理 |
| 能源管理 | 社區關係 | 物料採購 |
| 燃料管理 | 客戶福利 | 競爭行為 |
| 產品包裝 | 勞工關係 | 激勵措施 |
| 生物多樣性 | 薪酬與福利 | 供應鏈管理 |
| 溫室氣體排放 | 多樣化與共融 | 系統化風險 |
| 水及汙水管理 | 雇員健康安全 | 意外及安全 |

的績效維持在一定水準。

## 務實推動減碳政策

第二十六屆聯合國氣候變遷大會中，超過一百三十個國家宣示或規劃在 2050 年達到淨零碳排，十五個國家已將此目標納入法律，包含鄰國日本及南韓。

根據「彭博新能源財經」整理的《G20 零碳政策評比》報告，南韓與日本在六個領域表現優異，分列第三與第五。相較之下，我國產業界呼籲政府加快推出明確的減碳制度及做法。

我認為政府對於淨零碳排的政策有很大進步空間，需透過階段性管制，逐步邁向 2050 年淨零碳排的目標，但過度樂觀的規劃，可能使減碳政策變成空洞口號。

根據環保署（資料公布時尚未改制）報告，2020 年溫室氣體淨排放總量僅減少 1.87%，距離 2% 目標有差距。展望 2025 年，減碳進程仍困難重重。疫情期間短暫碳排下降並非永久，經濟復甦將使 2025 年的階段管制目標更為嚴峻。

## 關心動保議題的 Lulu 立委

在「Lulu 事件」後，網友常稱我是「Lulu 立委」或是「Lulu 的媽」，甚至在立法院，不論國民黨或民進黨委員，林德福、賴士葆、羅明才、徐志榮、吳斯懷、何志偉等委員，都直接叫我 Lulu 或 Lulu 的媽。每次院會開會，他們只要一看到我，就叫我「Lulu」，從此，Lulu 就變成我在立法院的暱稱了。

Lulu 事件時，有幾位委員同事還教我如何善用媒體聲量，甚至建議可以趁著熱度，推出 Lulu 周邊商品，進一步讓大家認識我是個愛護動物的委員。我認為這些建議都很好，也很開心大家將我定位成關心動保議題的立委。

2021 年 10 月立法委員洪孟楷成立動物福利促進會，此會的目的是希望結合跨黨派力量，與相關專家學者、NGO 及產業界合作，共同倡議動物福利與動物保護。成立時有三十位立委跨黨派支持，還特別推舉我當副會長。

根據媒體報導，已故的英國女王伊莉莎白二世非常喜愛柯基犬，更因此建立起親近又溫暖的形象。王室成員也曾表示，女王的愛犬幫助她在面對人生中的悲傷和挑戰時，依然能保持快樂和平靜。當女王感到不安時，她總會伸手撫摸桌下的柯基犬，當丈夫菲利普親王在 2021 年 4 月去世時，兩隻柯基幼犬更陪伴她度過晚年。

親身體驗到寵物帶來的精神慰藉，我建議未來長照中心將寵物狗列入陪伴探訪長輩的項目之一。

## 在立法院提出動物保護議題

如今，台灣註冊的寵物犬貓數量已超過孩童人數。根據內政部和農委會（現改制為農業部）資料統計，2019 年我國 12 歲以下的孩童數約為 277 萬人，但犬貓數量已經達到 283 萬隻；2021 年更達到 295 萬，逼近 300 萬大關，首次超過 15 歲以下的兒童人數，超過三分之一的家庭都有養寵物。

在街頭巷尾，這種趨勢愈發明顯。

如今，台灣的寵物診所比小兒科診所還多，寵物商品在賣場中的銷售量也超過兒童商品，愈來愈多餐廳為寵物提供友善環境，允許主人與狗狗一同進餐。這些現象反映出新世代的生活方式和家庭模式，寵物已經成為家庭的一員。

既然寵物已是人們重要的朋友甚至家庭成員，更應透過公權力的介入保障動物福祉，我認為《動物保護法》應該重新檢討修正，以「動物本位」制定符合動物福利的法律，並且設置動保警察，以調查權等公權力為後盾，避免動物受虐

## 毛小孩數量超過兒童人數

**2021 年國內毛小孩總數近三百萬隻，已超過兒童人數。平均每三戶人家，就有一戶飼養毛小孩。**

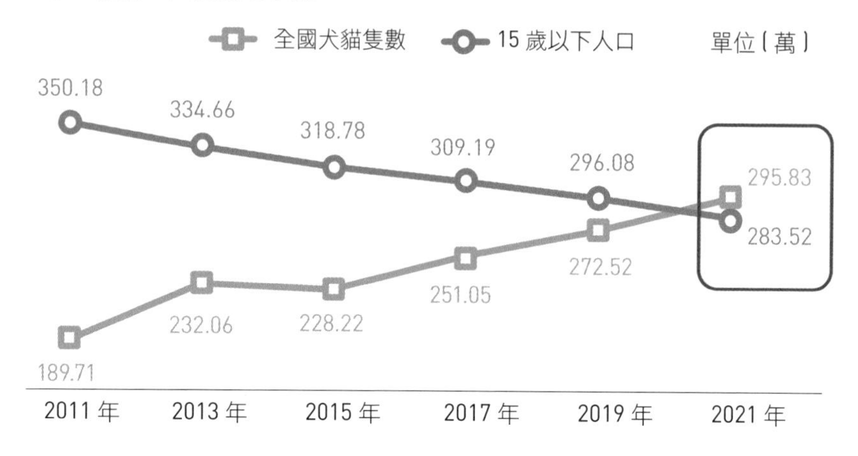


資料來源：內政部、農委會，時勢公司整理分析。

案件發生。農委會應將「動物福利白皮書」與《動物保護法》共構為完整的動物保護體系。

此外，針對被棄養的寵物，我們經常發現收容環境相對簡陋，會助長動物間的疾病交叉感染，更是動物收容所內死亡率難以降低的主因。

農委會應改變政策手段，整頓收容所整體環境、扭轉收容所是鄰避設施的刻板印象，同時充實照顧人力，加強尊重生命、減少棄養的教育宣導。這是降低動物收容所內死亡率的關鍵第一步。

## 讓更多人一起關心毛小孩

除了在國會殿堂上不斷倡議，我也希望透過各種活動，在社會上宣導不要棄養毛小孩的觀念。

2020年10月4日，我帶著Lulu參加「大家一起來關心，不要棄養毛小孩」野餐活動，現場許多民眾也帶著家中愛犬一同參與，包括時任台北市動保處處長宋念潔、台北市議員闕枚莎和耿葳、國民黨智庫副董事長連勝文，都出席這場溫馨的活動。

在毛孩野餐會中，很多民眾認識Lulu，帶著自家小狗和Lulu一起玩，Lulu當天交了很多朋友。

2020年11月21日，我也參加了一場由桃園市政府動保處與四個桃園扶輪社共同舉辦的「2020桃園市寵物嘉年華」，目的是為了推廣「動物友善城市」，主辦者是時任朝陽扶輪社社長陳秋榮。

當天，桃園市市長鄭文燦、農業局局長郭承泉與在地扶輪社友們共同出席；活動中有愛犬走秀、與主人最相像、貪吃狗比賽等，非常豐富而有趣。

我受邀帶著Lulu一起走秀，許多與會民眾和店家看到Lulu都會問：「是Lulu本尊嗎？」真是太可愛了，紛紛搶著與牠合照，甚至還有商家請Lulu幫忙行銷狗食，真是個高人氣的狗明星。

許多人會因為一時興起，投入養寵物的行列，卻不知照顧寵物必須擔負飼養照顧責任。

## 每個生命都值得被好好對待

2021 年 1 月 22 日，國民黨青年部舉辦「國民黨動物日」活動，倡議社會大眾應重視日益嚴重的流浪動物與虐待動物等議題。

當天，國民黨主席江啟臣、國民黨文傳會主委王育敏、新北市流浪貓狗再生保護協會「張媽媽流浪動物之家」執行長蔡岳橙應邀出席。江啟臣主席表示：「政府應該制定政策，處理好人與動物的關係。」

其實，人與動物之間除了彼此陪伴，有時狗狗還肩負起為主人引路的作用。

2021 年 2 月 12 日，蘇巧慧、賴品妤委員和我一起參訪惠光導盲犬學校，我們戴上眼罩，親自體驗導盲犬牽引視障者的感受。

由於新冠肺炎疫情影響，許多公益團體募款大減，導盲犬學校也受到衝擊。因此當天我們各自認購導盲犬義賣商品，拋磚引玉號召民眾一起「斗內」支持，讓導盲犬能獲得更完善的訓練，並持續添購照護所需的設備。

同年 10 月 23 日，我與立法委員蔣萬安、台北市副市長黃珊珊和議員李明賢，一同參與「2021 萌寵嘉年華」，現場有流浪狗認養活動及寵物義診。

（上）2020 年 11 月 21 日，桃園市市長鄭文燦（中）親臨寵物嘉年華活動致詞，一起推動動物友善城市。

（下）戴上眼罩，親自體驗導盲犬牽引視障者的感受。

（上）2020 年大家一起參與萌寵嘉年華活動，為毛小孩發聲。右一立法委員蔣萬安，左二台北市議員李明賢。

（下）收養三隻流浪狗的桃園市市長候選人張善政（右），抱著 Lulu 參加 2022 年中壢區新都心生活文化協會舉辦的中秋晚會。

而 2022 年中壢區 SOGO 百貨商圈，新都心生活文化協會舉辦中秋晚會，市長候選人張善政抱著 Lulu，致詞時表示他也收容三隻流浪狗，我們都認為他是個愛狗的暖爸。

寵物是我們的朋友，陪伴我們度過生命中喜悅與難過的每個時分，希望每個人都能抱持著關懷生命的精神，照顧家裡的寵物，養寵物之前深思熟慮，以領養代替購買，勿棄養、勿虐待，因為每個生命都值得被好好珍惜與對待。

# 第九章

# 百年大疫

# 疫情帶來學習與創新

2020 年 2 月，我剛進立法院正式就職，就遭遇了全球百年大疫情。世界衛生組織在同年 3 月，便將新冠肺炎 COVID-19 定為「全球大流行病」。

我在院會第一次總質詢提到，台灣位於東亞樞紐，在這場疫情中，面臨來自東、南、西、北、中以及航空船舶等六個方向的病毒傳播，可說是處於一場「六戰之疫」、無險可守的戰役中。這場全球疫情勢必影響全球經濟，台灣也無法倖免。

## 疫情中的激盪與反思

大陸經濟學家吳曉波曾說，新冠肺炎疫情讓人們面對了一場嚴峻的試煉，而人類主要敵人不是大自然的災害，而是那些看不見的流行病菌。他也提出「激盪」的觀念，指出在災難中獲得新的觀念和想法，持續學習與創新，才能迎接未來更多的挑戰。

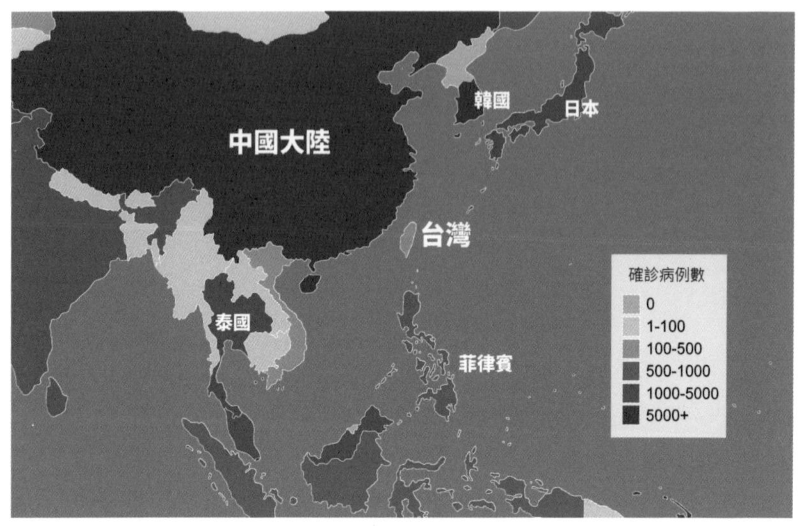

在全球化影響下，台灣與鄰近國家都逃不過疫情的侵襲。

疫情暴發之初，我以醫療管理的經驗，多次提醒相關單位關注口罩、防護衣、隔離衣等物資短缺的問題，並對衛福部政策盲點提出質詢，努力為醫療界爭取充足的資源，成為他們的後盾，替醫療界發聲。

而在疫情期間，我更看到有些醫護人員及其家屬遭受民眾獵巫或霸凌的新聞報導，讓台灣籠罩在不安的氣氛中，感到非常心痛。

我也曾多次在立法院為醫護人員爭取權益，質詢時指出：防疫已經不再只是短程的百米賽跑，而是一場漫長的馬拉松，長期的壓力對醫護人員的工作表現和工作意願，都會產生嚴重的心理影響，建議衛福部必須提早做出因應。

2021 年 5 月，台灣進入三級警戒，當時各醫事人員工作風險極高，部分科別卻未獲得獎勵，我要求政府平等對待。質詢時任衛福部部長陳時中，提醒獎勵津貼公平性，簡化申請流程，加速發放。政府應正視醫事人員辛勞，重視醫療機構的努力。

我一直關注民生健康等相關議題，認為疫情短期內無法舒緩，各行各業勢必面臨許多需要政府協助之處，並發現衛福部在特別預算中，未明確列出醫療院所紓困經費，獎勵津貼對象限制多，針對第一線醫事人員，應提供更多的紓困支援。

對此，質詢時，我要求衛福部擴大醫事機構紓困範圍，修正獎勵津貼標準，照顧藥局、診所、醫療機構，鼓勵第一線醫事人員。

## 守住桃園，守住台灣

自 2020 年 2 月 24 日起，桃園市成立急救責任醫院醫療區域聯防醫療網，各家醫院責無旁貸，共同承擔起桃園第一線的防疫重任，桃園市十一家急救責任醫院互相支援醫療資源，確保防疫能力。

而在桃園疫情最嚴峻的時刻，當時的桃園市市長鄭文燦親自前往各醫院，為第一線醫護人員加油打氣。探訪期間，鄭市長特別提到：「天晟醫院是中壢地區最大的醫療機構，由於毗鄰桃園市區，因此在這段時間裡，急診、門診、住院量皆大幅成長，我特別來支持天晟醫院，感謝醫療團隊的辛勤付出。」

2020 年年底，台灣疫情看似趨緩，未料在隔年 2021 年 5 月，再次陷入三級警戒的疫情風暴中。我特別提醒政府，不要忘記 1918 年西班牙流感大暴發所帶來的教訓。

百年前的疫情推動了公共衛生的進步，促成公共衛生跨域合作，加速全球各地採取更多元化的措施防止病毒傳播。當時的防疫措施已對有症狀者實施隔離，將輕症與重症分流、限制人流跨區移動，這些做法為一世紀之後的我們提供了寶貴的啟示。回顧 1918 年流感大流行期間的舊照片，便可以發現一百年前就佩戴口罩阻絕飛沫，實為一種有效的防疫手段。

## 後疫時代，視訊診療持續推動

人們在這場百年大疫中惶恐地度過，而現代科技發達，也提供了進步、便利的醫療服務，讓人們即使染疫、即使封城，仍能獲得需要的醫療照顧。健保署推出的視訊診療門診，便是醫療與科技結合的最佳範例。

遠距照護不僅是重要的防疫措施，更是後疫情時代醫療發展的趨勢。它可以減少民眾在醫療機構中的接觸，降低感染病毒的風險，同時減輕醫療機構的負擔。然而，通訊診療所涉及的開立處方箋與領藥仍面臨困境，我們應該將處方箋

（上）疫情期間，時任桃園市市長鄭文燦（前排右四）曾多次到天晟醫院視察。
（下）為防疫需求，天晟醫院特別在戶外設置防疫特別診。

開立數位化，利用區塊鏈技術，避免病人家屬或藥師為領取處方箋或送藥而奔波勞碌，為患者提供更便捷的領藥選擇。

至於對行動不便、就醫困難或罹患重症的患者而言，居家醫療和遠距醫療是迫切需要的服務，期望未來政府能充分利用醫療科技 ABCD，盡快實現讓這些患者在家中就能看診的期待。

一場疫情，重創了全球經濟，也改變了我們的生活，但我深信，只要保持信心、團結一致，再艱困的難關，我們也能一一突破。

# 為醫療從業人員發聲

我認為照顧醫療人員的權益不應分黨派，自進入國會後，連續三年，每年 5 月 12 日國際護師節前夕，我都會邀請不同黨派的立委共同慶賀，而中華民國醫師公會全國聯合會理事長邱泰源委員，每年也都會一起參與。

## 南丁格爾是我學習和效法的典範

國際護師節的起源是為了紀念英國戰地護士佛羅倫斯．南丁格爾（Florence Nightingale, 1820-1910），她是近代護理學和護士教育創始人，也是一名自學有成的統計學專家。

南丁格爾出身富裕家庭，卻立志投入護士工作，跟隨部隊前往遙遠的前線。在戰場上體會到一個驚人的事實，那就是惡劣醫療衛生條件導致的死亡人數，竟然遠遠超過戰爭最前線的陣亡人數。於是，南丁格爾努力推動改革，最終促成 1875 年英國《公共衛生法》的誕生。

改革並不容易，南丁格爾當時面臨官僚體系、醫院黑幕、議會弊病、忽視衛生的現況，曾經在寫給支持她的議員賀伯特（Sidney Herbert）信中提到：「我需要一群有擔當的同伴，能像浚通河川的鐵耙，一耙耙到底。」更期待能與擁有共同理想的人，在她高知名度的支持下，改革普世醫療體系。

南丁格爾認為，醫護人員不能只關注自己，應該多關心國家大事，因此她成立皇家委員會，希望透過國會改革立法制度，才能影響國家政策。她親自拜訪社會賢達期盼能獲得幫助，包括國會議員賀伯特、英國女王御用醫師克拉克（James Clark）、首席公衛專家邵斯連（John Southland）共十二人加入南丁格爾的行列，後世稱為南丁格爾十二護法。

面對一場接一場的艱苦奮戰，這群人不僅改革醫療體系、護理教育，甚至將這種精神傳承下去，努力推動並解決中國的鴉片問題，使鴉片成為普世禁用的毒品，對人類做出極大貢獻。英國女皇曾說：「英國有兩位偉人，男性是李文斯敦（David Livingston,1813-1873）醫生，女性是南丁格爾。」

2023 年我和三個小孩再訪倫敦，住在西敏寺、英國國會附近，就安排一天前往聖托馬斯醫院（St. Thomas' Hospital）裡的南丁格爾博物館參訪。從史料中了解她一生為護理制度、公共衛生、醫療改革領域的付出與貢獻。

百年前的南丁格爾就是我學習和效法的典範。她透過皇家委員會影響國會、促進立法、改善醫療與軍隊的環境及公共衛生政策；而我身為立法委員，為醫療改革、衛生政策以及人民健康發聲。巧的是，我們還是同一天生日，她的專業是護理，我則是藥學。

回想 2000 年中壢天晟醫院開業之初，我們就邀請前國軍 804 醫院護理部主任鄭美玉擔任天晟醫院副院長，這在當時應該是創舉，也把南丁格爾從護理到醫院管理、醫院建築改革、護理與統計及行政管理的精神，實踐與發揮。

## 為護理師發聲，不分黨派

2020 年國際護師節，我和時任民眾黨不分區立委蔡壁如，邀請立委鄭麗文、劉建國、陳椒華，以及中華民國護理師護士公會全國聯合會理事長高靖秋一同召開記者會，呼籲政府不應對補助津貼打折，應保障護理師照顧新冠肺炎病患能領取一萬元津貼的權益，同時也關注每班護理人員申請上限的問題。

2021 年國際護師節前夕，我舉辦「為護理師喝采，感謝堅守醫療前線的您們」記者會，邀請跨黨派委員、護理界代表和四位來自桃園的第一線護理人員一起參與。我們討論了防疫物資補足、勞動條件提升和工作環境改善等問題，承諾持續為護理人員爭取權益。

2022 年國際護師節，我主辦了第三屆國際護師節活動「為護理師喝采」記者會，邀請跨黨派委員表達對護理人員的感謝與支持，並呼籲加強防範職場暴力。

2023 年 5 月 12 日國際護師節，連續四年於立法院舉辦記者會，由護理界出身的新任立法委員陳靜敏主辦，我支持協辦，以「有護理師 才有未來」為題，與跨黨派立委共同感謝護理人員對國人健康的付出貢獻，並提出「護理師應受尊重、護理師值得投資、護理師須受保護、護理師價值非凡」四大訴求。

護理師是醫療機構中辛苦卻容易被遺忘的一群從業人士，因為有他們不辭辛勞的努力及愛心、耐心地付出，患者才能恢復健康的生活。我們除了要維護其勞動條件之外，更應該給他們一個安心的工作環境，才能讓醫療產業朝向正面方向發展，也才是全民之福。

## 成功推動《公共衛生師法》

進入立法院，我參與推動的第一個法案就是《公共衛生師法》；在新冠疫情暴發之前，《公共衛生師法》一直未被重視，延宕了二十年才得以在疫情期間通過。防疫等同作戰，疫情的詭譎多變更凸顯出公共衛生的重要性，公共衛生是防疫的重要基礎，是社會關懷的一部分，對社會影響非常大。

2020 年 5 月 15 日是台灣公共衛生發展史的歷史性時刻，也是亞洲公衛發展的重要里程碑，《公共衛生師法》在我們跨黨派立委強力主張共同推動下，終於在立法院三讀通過。

台灣成為亞洲第一個通過《公共衛生師法》的國家，政府得因突發緊急或重大公共衛生事件，指定公衛師辦理業務，讓公衛師的跨領域整合能力得以發揮，有效率地串連各職類醫事人員，建立公衛防禦體系。

2023 年的護師節活動，右二為陳靜敏立委，左二為中華民國護理師護士公會全國聯合會理事長紀淑靜。

做為《公共衛生師法》的主要推手，深刻感受到自己身為立法委員，為國家、社會、民眾做出了最有意義的貢獻，我充滿成就感。

## 正面好感度最高的立委

2021 年 4 月，我已擔任立委一年多，根據「網路溫度計」統計指標，民眾對我個人的「好感度」調查中，我以正面度 37% 獲得全體立委排名第五，黨籍立委的第一名。這個成績讓我感到非常驚喜，感謝大家的肯定。

2022 年 9 月，「網路溫度計」再次公布調查，我的正面

口袋國會指導委員會召集人王業立教授（右）頒發優質與優良立委獎狀給我，對我來說是一種肯定與鼓勵。

## 立法委員張育美出席率與質詢率百分百

| | 第十屆<br>第一會期 | 第十屆<br>第二會期 | 第十屆<br>第三會期 | 第十屆<br>第四會期 | 第十屆<br>第五會期 |
|---|---|---|---|---|---|
| 委員會出席率 | 100% | 100% | 100% | 100% | 100% |
| 質詢率 | 100% | 100% | 100% | 100% | 100% |

資料來源：張育美國會辦公室整理。

好感度上升到 55%，奪得全體立委的第一名，這是對我的肯定與對團隊的鼓勵，同時也知道這是民眾對我們更高的期許和挑戰。

2023 年 5 月，我的正面好感度最高達 60%，也是立委中的第一名。

我的問政成績獲得公民團體以客觀量化評鑑肯定，並且因為多次獲得優質與優良立委殊榮[8]，評鑑單位口袋國會指導委員會召集人、台大政治系教授王業立甚至在記者會中，稱讚我為「模範生」，這是一種榮譽，更是鼓勵。

而在第十屆立法院的五個會期中，我的委員會出席率和質詢率全都是 100%。監督政府、檢驗政策、為民謀福利，替醫事人員發聲，讓台灣的醫療環境更加提升，同時也為動物保護不斷努力，爭取更多毛小孩的福祉。

回首剛上任時「Lulu I love you」事件，到如今被評選為優質、優良立委，我始終不忘為民眾服務的初心，以及謙虛學習的心態，扮演好立法委員的角色。

---

8 2020年，口袋國會立法院第十屆第一會期立委評鑑，榮獲「四星優質立委」。
2022年，口袋國會立法院第十屆第四會期榮獲「全院優質立委」。
2022年，口袋國會立法院第十屆第四會期榮獲「社福衛環委員會優良立委」。
2023年，口袋國會立法院第十屆第六會期榮獲「全院優良立委」。

# 第十章

# 交流

# 跟世界做朋友

以往立法院每年都會安排到各國國會交流訪問，自 2020 年起，受 COVID-19 疫情影響，出國訪問幾乎停擺，直到 2022 年 9 月疫情逐漸趨緩，才陸續展開國際參訪行程。透過這個機會，我們學習各國國會運作方式，與各國政府官員和民間團體進行交流，促進國際外交。

## 參訪美國國會，深化台美交流

2022 年 9 月 13 日，陳以信委員召集美國國會參訪團，共有六位立委參與，包括陳玉珍、游毓蘭、何志偉、翁重鈞、王定宇和我。

行程為期五天，啟程前，由外交部北美司司長徐佑典向訪團委員們簡報說明行程。

出發當天，Lulu 到桃園機場送機，牠以為要跟我一起出國，當發現不能隨行時，在機場當場翻臉尖叫，讓我覺得憐惜和不捨。

此行我們在舊金山轉機，駐舊金山台北經濟文化辦事處處長賴銘琪特別到機場接待我們，稍作休息後，經過二十多小時的航程，我們抵達美國華盛頓 D.C.。

美國國會分為參議院（上議院）及眾議院（下議院）。參議院共有 100 席次，本屆議長為副總統賀錦麗兼任，議員為各州自行選舉，每州兩名、任期六年，每兩年進行三分之一的參議院改選。眾議院則有435席次，上屆議長為裴洛西，現任議長為詹姆士・麥克・強生（James Michael Johnson）。任期兩年，無連任限制。各州在眾議院中的席位比例以人口為基準，每州至少有一名。

參訪行程每天都很緊湊，第二天一早就開始馬不停蹄地拜訪，包括參院共和黨全國競選委員會（NRSC）主席瑞克・史考特（Rick Scott）及美國國會議員。我們強調民主秩序是台美關係的共同語彙，也是穩固情誼的基石，希望通過一系列價值對話，持續深化台美交流面向。

## 農業交流，擴大經貿往來效益

2022 年 9 月 15 日前往國會山莊，與參議院情報委員會主席馬克・華納（Mark Robert Warner）和多位聯邦參眾議員，進行多項實質交流對話。

在國會山莊期間，我親身見證了台灣與美國的農業交流，由時任農委會副主委黃金城率領的「2022 年台灣農產品貿易友好訪問團」，與美方簽署了三份採購意向書，台灣將在 2023 年至 2024 年間，購買總價超過 32 億美元的黃豆、玉米和小麥。

此次採購團成員中，多位是來自台灣的企業家，包括飼料公會理事長韓家寅，他是大成集團副總裁。在此之前，我曾多次與韓理事長及其兄長、大成集團韓家宇董事長，共同參加台灣企業論壇和遠見高峰會。這次在美國見面，一同見證台美的農業交流，顯得格外有意義。

農產品貿易友好訪問團的採購金額高達 32 億美元，美方非常重視，當晚就有多位美國國會議員在 Twitter 上分享採購成果，強調台美雙邊的夥伴關係持續蓬勃發展，並提到對美國而言，台灣的戰略聯盟角色日益重要。

我很驕傲地見證了農業交流的推展，也相信台灣將繼續擴大與美方在經濟及貿易面向的深度往來。

這次拜會多位美國議員，其中一位是參議員瑞克．史考特，他曾任佛羅里達州州長，從政之前也是一位 CEO，他經營的哥倫比亞醫院公司（Columbia Hospital Corporation），後來與 HCA Health Care 合併，成為美國最大的營利性醫療保健公司，之後史考特也成為 Columbia/HCA 首席執行官。

史考特在醫療企業的成果讓我很感興趣，由於台灣醫院體制和美國不盡相同，美國醫院可以上市，但台灣卻不鼓勵醫療體系上市，我特別針對這一點請教史考特議員，彼此也交換了意見，留下深刻印象。

2022 年 9 月 15 日晚上，我們到雙橡園參加「德拉瓦州

美國國會議員瑞克．史考特（左）擁有醫療企業經驗。

之夜」活動，這是為了慶祝台灣與美國德拉瓦州姊妹盟誼二十二週年特別舉辦。德拉瓦州以農業為主，尤其以養雞出名，家禽收入超過農業所得三分之二以上。

而位於美國華盛頓 D.C. 的古蹟建築「雙橡園」，是中華民國政府的國有財產，曾於 1937 年至 1978 年間，做為中華民國駐美國大使官邸。

經過一番輾轉，駐美國台北經濟文化代表處購回該建築，美國政府又於 1986 年 2 月 5 日將它列入國家史蹟名錄，以表彰其歷史背景及建築特色。雙橡園二樓有一張慈禧太后曾坐過的百年骨董椅子。每年的雙十國慶日，都會在此舉辦相關酒會活動，為台灣在美國的友好關係與交流提供了一個特別的場所。

## 收穫滿滿的訪美行程

五天的美國國會訪問期間，有機會和二十多位美國國會參眾議員進行深入交流，我們感到收穫滿滿，也成為立法院歷次訪美會晤到最多美方議員的訪問團。

（上左）在雙橡園參加「德拉瓦州之夜」活動，與美國農業相關單位及合作夥伴，交流兩國的農業發展。
（上右）在國會山莊期間，與採購團共同見證台灣與美國的農業交流。
（下左）與大女兒 Amy（左）一起參加美國交流活動。
（下右）時任駐美代表蕭美琴（右）特別前往雙橡園，協助立委團隊進行訪談行程。

陳以信委員表示，若是錯過 9 月中旬這段時間，之後大多數議員都得回到選區參與 2022 年 11 月 8 日的期中選舉，就不容易安排會晤了。

在華盛頓 D.C. 等待返台前，發生了一件小插曲。

我們在巴爾的摩機場，遇到一對不熟悉防疫規定的台灣老夫婦。了解後，我請外交部同仁協助，最後讓他們順利登機回台。

這次事件反映出疫情期間邊境管制政策瞬息萬變，一定有許多因不熟悉防疫規定而遭遇困難的案例。回台後，我立刻向衛福部提出質詢，希望衛福部能對旅外國人進行更多宣導，並與駐外單位共同合作，主動、即時給予適切協助，讓國人能夠在出國旅遊時更加安心、順利。

結束美國國會交流訪問，回台灣一星期後，我參加台灣女董事協會會議，美國在台協會（AIT）處長孫曉雅和大成董事長韓家宇剛好也在現場；我在上星期才和駐美代表蕭美琴與韓家寅在美國華盛頓 D.C. 見面，在這兩週內，雷同的情境再現，讓我感到似曾相識。

我告訴韓家宇董事長這段巧遇，韓董說他弟弟韓家寅負責主持美國農產品採購案，也表示大成集團對農產品需求量非常大，所以組團到美國進行採購。

目前，新興植物肉在消費市場上受到民眾喜愛，銷售量快速上升，韓董還推薦了大成集團最近主推的產品「植物牛肉」非常好吃，已經在嘉義擴廠，下次要帶植物牛肉麵來請我們品嘗。

## 訪問南韓國會及產業界人士

林德福立委與羅明才立委，是第九屆及第十屆中華民國與韓國國會議員友好協會會長及副會長。2023 年春節期間，他們計劃訪問韓國國會，邀請我一同參加。

出發當天是2月1日，剛好立法院第十屆第七會期開議，我先到立法院完成報到手續，隨即趕往松山機場，與林德福、羅明才、李德維、呂玉玲、洪孟楷等立委集合，開啟為期四天的訪韓之旅。

訪問團（右起洪孟楷立委、作者、呂玉玲立委及林德福立委）拜會韓國國會副議長鄭宇澤（左四）。

（上）訪問團行程豐富，其中特別安排青瓦臺參訪。
（下）圖右是漢城華僑中學副理事長崔愛英。

已經好多年沒去韓國了，很高興此次能與多位委員同行，由於韓國氣溫非常低，約在零下五至十二度，女兒擔心我會太冷，還陪我去買了一件長版的羽絨衣。

抵達韓國第二天，參訪團立刻展開實質交流。除了進行市政參訪和國會參觀，也希望透過兩國民意代表之間的溝通對話，在立法層面深化互動，在經濟貿易上強化雙邊合作，穩固兩國友好情誼。

我們分別與多位韓國國會議員、韓國主要在野黨、國會最大黨「共同民主黨」所屬智庫「民主研究院」、旅韓台商召開會議，就兩國經貿往來現況進行討論，冀能深化經濟交流關係。

當天有多位韓國台商參與，包括元大韓國證券社長郭明正。元大韓國證券是韓國前十大證券的唯一外資，我跟郭社長說：「真的好巧，我和元大銀行副董周筱玲都是台灣女董事協會的好姊妹。」我把和郭社長的合照立刻傳給筱玲，她十分感謝立法委員率團考察韓國，關心台商。

行程中我們也拜訪韓國國會副議長鄭宇澤、議員金學容，金議員是林德福立委（連任六屆）與羅明才立委（連任七屆）的好朋友，兩位立委與韓國保持友好關係已有二十多年之久。

這次我們也安排與韓國台僑交流，認識了漢城華僑中學的副理事長崔愛英。副理事長說，2023 年 6 月 16 日韓國世華會分會將正式成立。世華會全名是「世界華人工商婦女企管協會」，創立於 1994 年，組織分布於世界三大洋六大洲，會員皆為華人工商婦女菁英，成立迄今共有 79 個分會。

我告訴崔副理事長，世華會總會長、佳尼特集團董事長莊住維，是我政大企家班的學妹，世華會華董分會前會長、禮客集團董事長翁素蕙，以及新任會長大學眼科董事長歐淑芳也都是好友，我和崔副理事長一見如故，相約日後在台北相見。

韓國的人口約五千一百萬，國會制度和台灣非常相似。台灣國會議員總席次為 113 席，其中不分區席次占 34 席，而韓國國會議員總席次為 300 席，其中不分區席次占 47 席，許多專業團體的會長也成為了不分區國會議員。

韓國政治界的專業人才，許多都是以不分區方式進入國會。此次拜訪行程中，林德福立委介紹我是醫院創辦人，也是不分區立委，而韓國有兩位國民力量黨不分區議員與我是醫療界同行。徐正淑議員，她是第九屆韓國女藥師會會長；另一位是崔妍淑議員，她是大韓護理協會大邱分會會長。由此可見，韓國政界專業女力的崛起，以溫柔而堅定的力量守護人民。

## 國會遷建可借鏡國外

行程中讓我印象最深刻的則是韓國的國會議事堂，我認為可以成為台灣國會園區規劃及現有設備更新的參考。

韓國國會議事堂啟用於 1975 年，雖然已有四十多年歷

韓國國會參訪行程中，與台僑交流。
前排左起：崔愛英僑務顧問（世界華人工商婦女企管協會韓國分會會長）、孫毓緒僑務顧問（漢城華僑協會會長／韓國華僑協會聯合總會會長）、李寶禮僑務諮詢委員、楊從昇僑務委員、梁光中駐韓代表、李德福立法委員、羅明才立法委員、作者、李德維立法委員。
後排左起：漢城華僑中學于植盛校長、漢城華僑協會王愛麗祕書長、漢城華僑協會謝永成監事長、譚紹榮僑務顧問（漢城華僑中學理事長）、呂玉玲立法委員、洪孟楷立法委員、作者大女兒 Amy、曲永生僑務促進委員（漢城華僑協會首席副會長）、宋勳僑務促進委員（韓國華僑協會聯合總會青年會會長）。

韓國國會議事堂讓我印象深刻。

史，硬體設備依然兼具科技、人性且實用性。以議會質詢台為例，設計了可電動調整高低的桌子，適合不同性別、體型的議員問政。

相較之下，我國立法院受限於涉及古蹟及歷史建築，院區建築不易大幅變動，建議在現有建物中可加強科技應用元素，除了增加問政功能外，更能逐步實踐未來國會願景。

第十屆立法院目前正積極討論國會遷建，並已成立「立法院未來國會願景規劃諮詢委員會」，評選出全國六處優先考慮遷建基地，擘劃與勾勒國會園區未來發展願景。我希望未來的國會園區能多參考國外的先進做法，將科技與人性化設計融入園區規劃中，進一步提升國會運作效能。

此次我們也有機會參訪青瓦臺，青瓦臺以往都是歷屆韓國總統辦公及居住的地方，2022 年 3 月 20 日，韓國總統當選人尹錫悅宣布將於同年 5 月 10 日就任時，改為入駐位於首爾龍山區的國防部大樓，做為總統辦公室，並對外開放青瓦臺，顯示出在民主國家中，掌握政治核心權力者，也要懂得傾聽人民的聲音，拉近與人民之間的距離。透過打開總統辦公室的做法，或許更能讓民眾感覺到政治人物的日常生活，增加親切感。

# 了解國內醫療需求

立法院第十屆第六會期，我和邱泰源立委共同擔任衛環委員會召集委員。會期中，我們兩位召委分別安排多次醫院考察行程，包括台大醫院、林口長庚醫院、奇美醫院、佳里奇美醫院、台中榮民總醫院、中國醫藥大學附設醫院、彰濱秀傳醫院、台北榮民總醫院等，希望藉此深入了解醫療院所第一線所面臨的問題與狀況。

每次考察，衛福部常務次長（現任中央健康保險署署長）石崇良或次長王必勝、健保署副署長蔡淑鈴等官員，都會陪同。

## 林口長庚醫院

2022 年 11 月 14 日前往林口長庚醫院，考察重點是桃園兒童醫療（含急重症）照顧體系，以及後疫情時期醫療量能運作。

桃園市為國門之都，疫情期間承接起龐大確診者照護需

至林口長庚醫院考察，了解後疫情時期醫療量能運作。圖中左起：林口長庚醫院新生兒科部主任朱世明、副院長邱政洵、立法委員邱泰源、林口長庚醫院院長陳建宗；圖中右起：衛福部次長石崇良、立法委員陳玉珍、立法委員萬美玲。

求，林口長庚醫院做為大桃園唯一的醫學中心，自然肩負起重症照護、院內感染管制及各項防疫措施的典範建立，進而與在地各層級醫療院所串連綿密的防疫網絡。

不僅如此，面對兒童急重難症個案，林口長庚醫院亦發揮其兒童醫療照護核心醫院的角色，展現豐沛臨床實務與教學研究能量。

林口長庚醫院院長陳建宗、兩位副院長簡榮南及邱政洵一起接待我們一行人，陳院長是我高雄醫大學長，前院長程文俊、現任長庚決策委員會主任委員，也是高雄醫大的校友。此次考察，立法委員萬美玲及桃園醫師公會理事長莫振

南下考察奇美醫院（上），同時也拜訪佳里奇美醫院（下），了解奇美在精準健康與智慧醫療領域的發展。

東也一同參與。

## 奇美醫院與佳里奇美醫院

2022年12月12日，考察台南地區醫療體系及居家醫療、長照推展現況，並參訪奇美醫院與佳里奇美醫院。奇美醫院榮譽院長邱仲慶、院長林宏榮、佳里奇美醫院院長周偉倪率各級主管熱情接待我們。周院長是天晟醫院院長鄭貴麟的台大醫學院同班同學。巧的是，台南市衛生局局長許以霖和台南市醫師公會理事長陳相國，亦皆為高雄醫學大學的校友。

奇美醫院向來致力於精準健康及智慧醫療發展，串連各級醫療機構，為地區提供完善的醫療服務網絡，並落實ESG所蘊含的全族群、社會責任等永續理念。

面對超高齡化社會下的醫療服務人口變化，奇美醫院推動居家整合醫療模式，以Hospital at Home為核心，充實經費，使居家醫療趨向團隊化、效益化，進而構築包括醫院、社區機構、基層院所與家庭新世代醫療體系典範，達到減少病人再住院率、降低醫療資源耗用的目標。

## 台中榮民總醫院

2022年12月19日衛環委員會至台中考察台中榮民總醫院，參訪其智慧醫院與醫療創新領域成果，陳適安院長率領醫院高階主管歡迎我們。

台中榮民總醫院為智慧醫院發展的領先者，在國際知名

媒體新聞週刊 *Newsweek* 2023 年最新發表全球智慧醫院評比（Newsweek World's Best Smart Hospitals 2023）中，台中榮民總醫院為我國唯一進榜醫院，堪稱為台灣之光。

整場討論座談過程，強調「完善產業生態系」的重要性，陳適安院長提出：「醫院出題、新創／廠商解題、醫療人員／病人受惠」的三角關係，正與我過去主張的「科技是為優化醫療服務」相互呼應。

我認為，後疫情時代的醫療科技與智慧醫院開展，必然需加速產業化、規模化進程，待技術實作與商品化後，即投入跨院聯邦式臨床驗證，繼而透過政策鼓勵，將成功經驗複製導入更多醫療院所，加速智慧科技於醫療服務的應用。

在台中榮民總醫院戰情室中，陳適安院長也與我們分享遠距醫療的相關應用。陳院長向我表示，台中榮總目前採用 Aeolus 機器人，是因為他在醫療科技展上看到天成醫療體系的應用感到興趣而引用。

陳適安院長是我高雄醫學大學的學長，他是一位專精於心臟科的醫師，非常具有創新精神，在他的領導下，台中榮總逐漸發展成為一個高度科技化和數位化的醫院，過去幾年我曾數次與他一起參與論壇和演講，對陳院長在醫療科技上的投入與成就十分感佩。

## 中國醫藥大學附設醫院

2022 年 12 月 19 日下午，我們考察中國醫藥大學附設醫

（上）在台中榮民總醫院戰情室中，陳適安院長（右二）也與我們分享遠距醫療的相關應用。
（下）參訪中國醫藥大學附設醫院時，周德陽院長率領副院長們與各級主管在一樓大廳迎接訪問團隊。

院。中國醫藥大學暨醫療體系董事長蔡長海，也是亞洲大學創辦人。當天，周德陽院長率領副院長們與各級主管在一樓大廳歡迎我們。

考察主題是「創新醫療、跨業鏈結」，中醫大附設醫院介紹他們在智慧醫院高分通過美國醫療資訊暨管理系統協會（HIMSS）數位健康指標（DHI）、全方位智抗菌平台、遠距醫療等實際應用範例，讓我們感受到其在再生醫療、智慧醫療、精準醫療、國際醫療與醫療科技應用等方面，表現都十分出色。

## 彰濱秀傳醫院

2022 年 12 月 26 日，我們前往彰化考察當地急重症、社區、特色醫療和長照布建等現況，並參訪彰濱秀傳紀念醫院，了解當地醫療發展。

參訪時，黃明和總裁熱情接待、親自導覽，表示醫院雖然面對政策和環境的限制，但仍引進了超音波腦神經治療儀（醫薩刀），設立遠距微創手術訓練中心，發展健康園區、旅遊醫療和國際醫療等特色。透過創新投入，支持當地的健康照護，承擔起急重症照護的重任。

黃總裁很有遠見，曾任立法委員，是我們的前輩，我告訴夫婿，黃總裁在擔任立法委員期間，每天都南北奔波，完成立法院工作後還得趕回醫院，晚上甚至還要查房，我時常提醒夫婿要向黃總裁學習。

參訪彰濱秀傳醫院時，總裁黃明和（右一）熱情接待、親自導覽。

黃總裁培養下一代有成，尤其是他的兒子黃士維院長，是一位外科專科的優秀醫師，秀傳醫院的達文西手術名聲遠播，常有國外醫師學者與中國大陸醫師專程到彰濱秀傳醫院學習和參訪。

## 台大醫院

2022 年 12 月 28 日至台大醫院考察「勞工職業病診治與職災職能復健現況與發展展望」，共同關注職災保護與認定實務。

邱泰源召委提到他在台大任教期間，曾指導過許多學生，其中，台大醫院院長吳明賢這個班級特別優秀，孕育出多位醫院院長，包括天晟醫院院長鄭貴麟、台大雲林分院院長馬惠明，以及奇美佳里分院院長周偉倪等。

此次考察重點是過去近三年間，COVID-19 疫情肆虐全台，勞動部遂於 2021 年訂定「職業因素引起嚴重特殊傳染性肺炎（COVID-19）認定參考指引」，如何認定「生物性危害」類型的職業病。

這一會期的醫院考察，我們原本也計劃前往台中童綜合醫院，童敏哲院長也是高雄醫學大學的校友，我曾與童院長通過電話，他非常期待我們能到訪；然而，此會期暫時無法到童綜合醫院考察，是遺珠之憾。期待之後我們有機會前往交流。

在考察過程中，認識了每家醫院的正副院長和各縣市醫師公會理事長、衛生局局長，其中有不少是高醫大的校友。

現任高雄醫大全球校友總會理事長、也是中華民國牙醫師公會全聯會前理事長謝尚廷醫師，是我的學弟也是好朋友，每次考察彷彿是我代表謝尚廷理事長到全國醫療院所拜訪校友。看到高醫大校友能在台灣各地堅守崗位，為病患提供專業且完善的服務，我覺得倍感驕傲且與有榮焉。

我和謝尚廷理事長、諾貝爾醫療集團創辦人張朝凱醫師，共結「高醫大三姊弟」。

每次回到高雄醫學大學或到各大醫學會開會時，時常遇到侯明鋒院長。侯院長是 2024 國民黨總統候選人侯友宜的二

（上）台大醫院院長吳明賢（右）與我們分享勞工職業病診治與職災復健的觀察心得。
（下左）我和謝尚廷理事長（右）、諾貝爾醫療集團創辦人張朝凱醫師（左），共結「高醫大三姊弟」。
（下右）前高雄醫學大學附設醫院院長、全國乳房外科醫學會理事長侯明鋒（右）。

哥，他是乳房外科專科、前高雄醫學大學附設醫院院長、全國乳房外科醫學會理事長、社區醫學專家。他學問淵博、非常親切，不吝於分享，是教我最多的學長。侯院長心態很年輕，他也把我的女兒當成朋友，我們兩代一起稱他為學長。

## 台北榮總重粒子癌症治療中心

2023年5月15日上午，台北榮總「重粒子癌症治療中心」開幕，重粒子醫學之父辻井博彥教授、總統蔡英文、行政院副院長鄭文燦、退輔會主委馮世寬、台北榮總院長陳威明與多位立法委員、行政首長共同出席，見證我國癌症放射治療

2023 年 5 月 15 日，台北榮總「重粒子癌症治療中心」開幕，象徵我國癌症放射治療邁向新頁（左起：溫玉霞、蔡適應、吳思瑤、羅致政、廖婉汝、作者、蘇巧慧）。

邁向新頁。

台北榮總過去十四年間，從規劃、建置、培訓到運轉，使台北榮總重粒子癌症治療中心是繼日本、德國、義大利、中國大陸與澳洲後，世界第十四座運轉中的重粒子中心。不僅展現我國堅實的醫療實力、驅動醫療科技向前，更為民眾癌症治療提供多元選擇，周延重症醫療拼圖。

期許台北榮總重粒子癌症治療中心，為癌症病友提供精質醫療服務，為癌症治療打造全方位跨專業整合模式，並領航國內粒子治療醫學發展！

## 考察花蓮醫療執行現況

2023 年 5 月 25 日考察花蓮慈濟醫院，了解花蓮地區急重症發展、社區醫療整合及長照資源布建等偏鄉醫療網執行現況，並聽取衛生福利部、花蓮縣衛生局、花蓮慈濟醫院、門諾醫院、部立花蓮醫院及國軍花蓮醫院各院長等簡報。

花蓮縣幅員狹長，南北長約 137.5 公里，面積雖為全國各縣市之冠，但多屬山地。因此，醫療網絡發展尤需藉由基層院所鞏固在地醫療需求、擔任社區守門員，再運用各層級醫療院所的綿密分工整合，串接起急重症照護的紐帶。

此外，著眼於統計至 4 月底止，花蓮縣 65 歲以上人口已占 19.28%，即將跨越超高齡社會門檻。在社區與居家型長照服務外，如何兼顧重度失能者照顧需求，例如持續活化閒置校園空間，以在地服務完備住宿式機構量能，則是超高齡社

2023 年 5 月 25 日，立法院衛環委員會立法委員邱泰源（前排左七）及我、醫福會執行長林慶豐（前排右六）及健保署副署長蔡淑鈴（前排右五），考察花蓮慈濟醫院，了解花蓮地區急重症發展、社區醫療整合，以及長照資源布建等偏鄉醫療網執行現況。

會中的發展方向。

我建議花蓮的醫院應以醫療科技提升服務品質、分級醫療串連照護紐帶、在地老化充實長照量能。面對偏鄉醫療網的深化，更應活用醫療科技提升照護品質，進一步充實東部民眾的健康服務資源，落實健康平權理念。

衛環委員會的邱泰源召委和我，皆出身於醫療界，本會期經過考察參訪多家醫院之後，我們共同的感想是：立法院衛環委員會未來應多安排全國醫療院所的考察行程。

一般來說，政府單位到醫療院所主要目的是評鑑或衛生局督考，難免會讓醫院感到緊張，好像是面對考試；但立法院考察行程就不一樣了，我們會清楚說明考察目的是關心醫療界的發展與發現問題，並與醫界討論凝聚共識與解決之道，共同守護民眾的健康，這是民之所欲，也是為民服務的一種方式。

# 第十一章

# 輔選

# 發揮在地影響力

我是國民黨籍的不分區立委，2022 年九合一選舉，我早已規劃好要全力輔選。2022 年 5 月，前行政院院長張善政確定被提名成為國民黨桃園市市長候選人後，我和前立法委員廖正井便立刻陪同他在第二選區（楊梅、新屋、大園、觀音）積極拜票。

一般而言，第二選區是國民黨在桃園的艱困選區。那段期間，我們馬不停蹄地前往各社區、宗親會、協會、宮廟和菜市場等處拜會，希望能在短期內讓更多市民認識張善政市長候選人。

## 正式投入輔選工作

2022 年 8 月 26 日，張善政競選總部公布輔選團隊，由邱奕勝議長擔任桃園市後援會總會長、呂玉玲立委出任桃園市競選總部主任委員、萬美玲立委擔任北區競選總部主任委員，魯明哲立委則是南區競選總部主任委員，我則出任桃園市醫療後援會會長兼楊梅區競選服務處主任委員。張善政競選總部輔選團隊成立，這項消息一出，立即引起各大媒體的報導，並被譽為「藍營桃園大咖歸隊」。

競總團隊每週二下午召開核心輔選幹部會議，邱奕勝議長、呂玉玲立委、魯明哲立委、萬美玲立委、前立法委員陳根德、桃園市黨部主委黃敏恭和我，一同參與決策，共同討論南北區大型選舉造勢和各地輔選工作。

我身兼楊梅區競選服務處主任委員，每週五下午在楊梅召開會議，我十分重視團隊成員意見，在會議上先傾聽大家的看法，整合各方意見，力求達成最佳策略，打造最強競選團隊，為張善政輔選。

楊梅區國民黨黨部的場地太小，因此我將天成醫院附設的「天成生醫健康生活館」一樓，做為張善政楊梅區競選服務處，同時還安排天成醫療體系的同事進駐，協助選舉團隊各項總務補給事宜。

接著，立即啟動楊梅輔選行程，從早到晚排滿檔，舉辦8場「議起相挺動起來—善心相連見面會」和53場市長候選人與議員聯合問政說明會之外，超過294場大小地方行程，站在路口舉牌揮旗致意等活動，總計超過500場次。桃園市議員周玉琴、涂權吉也與張善政市長候選人，共同成立楊梅區聯合競選服務處。

為了讓楊梅區市民能清楚看到競選服務處，我們在天成生醫健康生活館整棟建築物的四面牆上，高掛非常醒目的

2022 選舉期間，我陪同張善政市長候選人（上圖著白衣蹲姿者）在市場關心攤販，也提供楊梅天成醫院旁天成生醫健康生活館的外牆張貼聯合宣傳海報。

「拚善良」以及與楊梅區黨籍議員聯合競選的文宣看板。因為地點很好，館外的輔選旗幟旗正飄飄，充滿氣勢，讓我們對勝選充滿信心。

## 桃園市醫事團體拜訪

競選期間，我們成功整合桃園市醫療界，2022 年 10 月 2 日，桃園市藥師公會舉辦長青藥師聯誼餐會頒獎典禮，張善政受邀前往，致詞時提到，在他擔任行政院院長期間，積極推動雲端藥歷的建立，讓民眾可以自行下載個人藥歷，避免重複用藥，這也讓藥師能夠利用科技進行更高效的管理。

促成張善政市長候選人（前排左五）與醫事聯盟進行座談，溝通彼此理念，也促進認識與了解。

榮獲全國醫療奉獻獎的中壢天晟醫院牙科部主任簡志成醫師，就任桃園市牙醫師公會理事長，典禮中，我陪同張善政市長候選人向在場的牙醫師們懇託支持。

10 月 13 日，我主辦張善政市長候選人與醫療界的座談會，讓桃園市醫事聯盟的二十五個公會理事長和理監事們，能夠與張善政面對面交流與建言。這場座談會為桃園市衛生政策提供了重要的參考意見，也進一步增進醫療界和桃園市市長候選人的溝通。

我向張善政提議，如果當選，應該與桃園市醫事團體保持緊密合作，至少每年互動兩次，以加強彼此的聯繫與合作。

## 桃園各區輔選行程滿滿

除了醫師團體聯盟之外，桃園各區的輔選行程也十分緊湊。我陪同張善政到新屋長祥宮拜會曾擔任張廖簡宗親會理事長的廖忠雄主委。中午時分抵達長祥宮，用餐時，廖主委特別提醒張善政當選後要和我一起，跟宗親們多交流。張善政非常感謝廖主委的提醒與支持。

由於競選期間，立法院工作還是如常進行，2020 年 11 月 21 日一早，我先到立法院上班，再趕回桃園大園區徐其萬議員服務處。

這是張善政選前第一天車隊大造勢，由第二選區開始。大園區徐議員安排張善政和我一起在競選總部先祈福後，開始桃園市選前車隊大拜票。

（上）陪同張善政市長候選人（左四）到新屋長祥宮拜會，祈求選舉順利。
（下）儘管在選舉車上掃街拜票十分辛苦，所幸一切努力都收獲了甜美的果實。

那天太陽很大，我戴著帽子、穿防曬風衣，和張善政候選人、徐其萬議員站在吉普車上，一路上鞭炮響聲不斷，許多市民熱情地從家門出來和張善政候選人打招呼並比出「讚」的手勢，接著到觀音區，由接棒的吳進昌議員候選人上吉普車，站在一起向市民拱手拜票。

觀音和新屋海邊沿路的風很大，吹走了我的帽子，大太陽底下曬了一整天，我和張善政候選人的臉都被曬紅了，差一點脫皮。

傍晚，車隊來到楊梅，有周玉琴、涂權吉兩位議員一同接棒，最後在涂議員的競選總部完成一天的豔陽曬、大風吹的車隊拜票。回首辛苦的車隊拜票行程，很恭喜參與接棒的五位議員全都高票當選，這印證了選舉母雞帶小雞的重要。

## 楊梅造勢大會，全場沸騰

選舉日倒數三天關鍵時刻，我們決定舉辦一場不同於傳統造勢的選前之夜。

2022 年 11 月 23 日晚上，我們在楊梅陽明夜市廣場舉辦盛大的「幸福城市 楊梅善好 搖滾暨民歌演唱會」。

這個廣場常是民進黨舉辦選舉活動的場地，但我特別向楊梅廣場的老闆三兄弟拜託支持，他們認為企業支持不分黨派，慷慨地把場地免費借給我們使用。

「幸福城市 楊梅善好 搖滾暨民歌演唱會」首先從民歌演唱開始，氣氛熱烈。主持人楊瑞玲是前桃園電台的名主持人，充分帶動整場氣氛，當張善政候選人進場時，更在台上帶領群眾高喊「張善政凍蒜、凍蒜」，全場氣氛熱鬧沸騰。張善政候選人致詞時，全場掌聲更是久久不歇，這是楊梅區長久以來未出現的盛況。

我們也特別邀請各大知名音樂人和歌手演唱，使整場演出更豐富多元，現場還設置夜市市集與互動遊戲，讓民眾可以參與其中，增添熱烈互動的樂趣。

選前之夜，這場活動不僅讓楊梅區市民們親自看到張善政候選人的親切形象，更看到楊梅民眾熱情的支持。

## 選前之夜，風雨生信心

11 月 25 日是選前最後一夜，儘管當晚下起滂沱大雨，張善政候選人的「勝選之夜」造勢晚會，依舊如期在桃園區朝陽森林公園盛大舉行。

走進會場時，我的鞋子整個完全陷入泥濘裡，差一點跌倒，邱奕勝議長一直提醒我小心走。風雨交加的夜晚，上萬名支持者來到現場表示支持，旗幟飛揚、口號震耳欲聾。邱議長、四位桃園市的黨籍立委以及參選議員們，也與張善政候選人一同站在台上向桃園市民拜票，呼籲大家無論明天天氣如何，都要用手中神聖的一票「挺善良」。

張善政候選人致詞時見萬人淋雨相挺，一度哽咽地說風雨生信心，感謝大家的熱情支持。最後大家一起高唱〈明天會更好〉、〈我愛中華〉，全場齊聲高喊「張善政凍蒜」，張

選前之夜雖然風大雨大，但風雨生信心，現場氣氛令人十分感動。

善政候選人向所有支持者發出誓言：「挺善良，明天一定會更好！」

## 開票心情超級緊張

2022 年 11 月 26 日，市長選舉投票日，由於當天投票率偏低，中午時分我非常緊張，打開家中落地窗向天公拜求張善政市長候選人當選，並說出張善政的出生年月日，告訴天公他是一位優秀且值得信賴的人才，請幫助他當選桃園市市長，他一定會勤政愛民，並且用他的專長把桃園打造成一個科技與國際化宜家宜居的大都市，會是個有作為的市長。

當天下午四點開始開票，我太過緊張，甚至不敢看開票而躺在沙發上假寐。也許是我對天公的祈禱奏效了，一個半小時之後，朋友很興奮地打電話給我，說：「妳知道嗎？妳用力輔選的張善政在每一區都贏了！」聽到這個好消息，我才敢打開電視，看到張善政候選人在桃園市每個行政區的得票數都領先，那時才有心情喝杯水輕鬆一下看開票。

開票到晚上六點左右，張善政準市長打電話邀請我到桃園南區競選總部一起看開票。電話中我告訴他，我剛才一直在拜天公，請天公幫忙，並將他的出生年月日告訴天公，市長以後一定要向天公還願感謝。

不僅認真輔選，勝選後，我也陪同張善政市長當選人掃街謝票。

晚上六點多，競選總部貼出得票數四十萬票的紅榜，並持續領先，支持者紛紛湧至競選總部前，開心地揮舞旗幟，齊聲喊凍蒜。晚上七點多，張善政候選人已經拿下四十八萬多票，得票數還在不斷增加，與對手的差距也在不斷擴大，雖然已領先對手十多萬票，但總部還是謹慎地不敢宣布當選。

待全數選票開完，張善政市長候選人拿下了 55 萬 7,572 票，得票率高達 52%，當選為桃園市市長。當晚，競選總部的五位核心幹部和準市長一起上台，感謝市民的支持，一起迎接勝選。

勝選晚上的情緒仍高亢，當選後的第二天一早，我與立法委員呂玉玲陪同張善政一同掃街謝票，許多媒體記者和我的朋友都稱讚我不僅在輔選期間非常投入，每天都能看到我全力輔選張善政，勝選後，始終如一仍陪同準市長謝票的精神，令他們十分感動。

# 跨縣市輔選

不僅在桃園地區投入輔選工作，我也跨縣市為好同事、好夥伴們站台輔選。

## 蔣萬安市長輔選

台北市市長候選人蔣萬安是我在立法院衛環委員會的同事，我們每週一、三、四都會一起出席委員會會議。蔣萬安擔任召集委員負責主持會議，輪到他上台質詢時，經常會請我代理他當主席。

2020 年起疫情緊張，衛環委員會的焦點幾乎都集中在衛福部。

有幾次我代理主席時，蔣萬安委員針對防疫與疫苗採購政策，向衛福部部長陳時中進行強烈質詢，這種激烈的攻防場景，後來也出現在兩位競選台北市市長的過程中。

2022 年 5 月，蔣萬安宣布參選台北市市長，我立刻表示挺他，也會參與輔選。蔣萬安委員在衛環委員會上最關心醫

（上）蔣萬安委員（左）是立法院同事。
（下）2022 年 10 月 23 日醫療人挺蔣萬安（右二）團結大會，醫療對策委員會主委蔡明忠（右一）、前台北市副市長及聯醫總院長邱文祥（左二），共同參加輔選活動。

護人員和防疫政策，也關注少子化議題，在競選台北市市長時，特別提出「催生」、「助養」、「好住」三大政見。我也參與了蔣萬安在台北的多場醫療後援會和競選活動。

2022 年 10 月 6 日，台大 EMBA 舉辦與市長參選人的面對面座談會，蔣萬安委員提到他與我在衛環委員會上共同努力解決防疫、老年化和少子化等議題。蔣萬安委員也承諾，如果未來當選台北市市長，將在台北市持續推動他在國會時期關注的議題。

當天現場來了許多台大 EMBA 教授與校友，有特力集團總裁何湯雄、正陽國際總裁孫正大、禮客集團董事長翁素蕙、台大 EMBA 校友基金會榮譽董事長王定乾（現任寒舍集團藝術顧問）、新光金董事蘇哲生、生寶集團董事章修績、台北市議員陳炳甫和闕枚莎、凱基銀行總經理張立荃、農委會前主委林享能、台大前副校長湯明哲，以及台大教授馮燕、林如森、陳家麟、陳明賢等多位教授。

2022 年 11 月 13 日在大安森林公園舉辦的「蔣萬安客家後援會造勢大會」，我參與輔選，上台致詞後，很多朋友來跟我打招呼，其中有一對夫妻走到台前向我揮手，原來是天晟醫院的骨科醫師陳榮貴。

天晟醫院位在桃園，陳醫師住在台北市，看到他們夫妻特地前來支持蔣萬安，我非常感動。

蔣萬安當選市長後，2023 年 4 月 24 日黨籍立法委員在台北的一次聚會，蔣市長很有責任心，還特別拜託我們，幫他繼續完成之前在立法院關注和推動的議題。

## 輔選台北市議員詹為元

在我剛進入國會時，詹為元就擔任我國會辦公室的主任，任職期間展現了卓越的能力。他協助整理許多法案並提供選民服務，同時也與政府部門進行良好的溝通。此外，為元經常在政論節目上露面，展露出敏捷的口才並與媒體記者有良好的互動。

當為元宣布參選市議員時，我力挺他的決定。同時，蔣萬安、侯友宜市長和國民黨前主席江啟臣也站台輔選。為元

詹為元（左二）是我的國會辦公室主任，當他宣布參選市議員時，我全力支持，時任新北市市長侯友宜（右三）也支持並站台輔選。

（上）國民黨主席朱立倫（中）加入新竹縣輔選活動，致詞鼓勵候選人及團隊。
（下）因為同是新竹人，我也積極替楊文科縣長（右）輔選，並致贈包粽，寓意「包中」。

是一位優秀的年輕人，他在參選過程中遇到了許多挑戰；然而他卻能夠高票當選，這正是他廣結善緣和個人能力的最佳證明。

立法院院會時，林奕華委員的議場座位就在我隔壁，2023 年 1 月底，得知林奕華委員即將接任台北市副市長一職，我們都很為她高興。在她就任台北市副市長前，我們在立法院院會一起合照，表達祝福。

## 新竹輔選

2022 年 9 月，國民黨籍新竹縣縣長候選人楊文科的競選總部成立大會，於新竹縣政府旁廣場舉行，我也到現場參與輔選。

我和楊文科都是新竹客家人，頗有淵源。回想 2018 年縣市長選舉時，我曾回到關西，向鄉親與張廖簡宗親拜託大家支持楊文科縣長，楊縣長得知後，每次遇到我都會向我表示謝意。

在競選總部成立大會上，國民黨朱立倫主席和多位黨籍立委共同輔選，也見到了許多熟識的好友和企業家，其中，宣明智董事長也在現場，他在 2018 年的選舉中努力輔選支持楊文科縣長，四年後的今天，宣董事長依然全力支持與輔選，我們在選舉現場相遇非常開心，互相加油。

宣明智董事長不僅是位成功的企業家，同時也非常關注政治，他曾說：「政治會是最大的公益。」

幾天後，我又陪著楊文科縣長到關西去輔選，我的娘家在關西，回到關西拜託親朋好友支持，感覺特別親切。在台上，我送給楊縣長賢伉儷「包粽」，祝楊文科縣長「包中」連任。當天也看到在關西建構「亞洲健康智慧園區」的台灣房屋總裁彭培業到場支持。

我在現場致詞後，一坐下來便遇到曾到中國大陸發展的知名演員李立群先生，他也到場為楊文科縣長輔選。我很高興地跟他說我是他的粉絲，看過他的戲劇作品《溫州一家人》、《暗戀桃花源》等。

李立群先生分享，疫情期間他在中國大陸的家中待了很久，後來決定搬回新竹關西。他讚揚關西有美麗的山水，是一個理想的養老地點，他在關西過得很愜意。

## 「勝利之牆」另類的輔選

中壢天晟醫院的九樓高外牆，看板尺寸是 102 × 67 呎，因位於台 1 線縱貫省道、延平路與中壢外環道顯眼處，人車流量相當大，平時都是放我與醫院的形象廣告。

很多企業透過各種關係及管道，開出每月租金二十多萬元，希望承租這面桃園市最大的廣告牆，但我從不動心。每逢選舉前夕，身為國民黨中常委的我經常無償提供黨內同志懸掛看板使用，歷次大小選舉，都以此大外牆做為輔選。

從 2001 年桃園縣朱立倫縣長選舉、2008 年馬英九總統大選到吳志揚縣長選舉，2010 年前桃園縣縣長朱立倫參選新

中壢天晟醫院的九樓高外牆，在此打廣告的候選人大多能順利當選，被民眾稱為「勝利之牆」。

北市市長、2020 年韓國瑜先生參選總統、2022 年張善政參選市長、2024 年新北市市長侯友宜參選總統時，都運用這面廣告牆，向桃園鄉親請託支持。

在這裡掛上桃園藍營大團結的選舉看板，也讓大家看到我們期望國民黨團結贏得大選的企圖心。在此打廣告的候選人大多能順利當選，因此被民眾稱為「勝利之牆」。

結語

# 我的斜槓生活

我的第一本書《CEO 遊學記》是「讀萬卷書、行萬里路」的實踐，第二本《CEO 參政記》是分享歐洲藝術遊學之旅。

在義大利佛羅倫斯，跟隨蔣勳老師學習，我了解到梅迪奇家族是推動文藝復興的關鍵，他們做為銀行家、慈善家，支持米開朗基羅、拉斐爾、達文西、伽利略等天才，間接促成了文藝復興運動。

參加長江與中歐商學院 CEO 班後，我發現許多中國大陸的成功企業家大都很重視歷史和文化，從古文哲學中有所領悟，他們研讀儒、道、墨、法以及老莊思想，從老子的垂拱之治了解君主之道，從莊子的不強求領悟為人之道。

幾年前我也寫了一篇莊子〈逍遙遊〉的讀後心得，〈逍遙遊〉中的鯤鵬寓意，若能從滿足現狀的魚變為高瞻遠矚的鳥，將有所進步，希望我們從北冥之鯤吸取奮發力量的精神。雖然鯤鵬神話是虛擬，但「北冥之鯤」能象徵為成長力量，提醒我們努力可改變命運。

從當立委那天開始，我的生活有了大幅改變。以往睡到自然醒，現在每天早上五點起床先運動，六點半從桃園到立法院，高速公路正逢上班的塞車潮，司機小邱很聰明選擇五楊高速公路、環河北路、中山北路到立法院。每次經過中山北路時，我都會想到一首台語歌〈中山北路走一趟〉，不禁莞爾一笑。

我也親身體會到，早上九點以前交通尖峰期間，中山北路會有一道改為單行道的專門調撥車道，使車輛往來十分順暢，是一個很棒的便民政策。

之所以想要早一點到立法院上班，是因為我可以早登記發言，早些質詢，為此還養成了早起先運動的健康習慣。正如我在衛環委員會質詢國民健康署署長吳昭軍，關於人民健康議題時，提到養成規律運動習慣的台灣民眾只占 33%，在公共衛生預防醫學的三段五級架構中，我提醒衛福部國健署應該加強宣導國人健康的生活方式，才是真正落實預防醫學的精神。

## 問政質詢切中要點

回想這四年來從政的過程，當立法委員的第一年，我還在適應中，起初，質詢時需要念稿，看到其他資深立委和官員以互動方式質詢時，十分羨慕他們的自信和技巧。因此，

## 高齡化時代醫療服務板塊變動
## 疾病三段五級概念

**高齡化時代來臨，應用疾病三段五級概念，從健康、醫療、照顧三方面，提供長者不同層面的醫療服務。**

| 健康 | | 醫療 | | 照護 |
|---|---|---|---|---|
| 健康管理 | 疾病預防 | 疾病診斷 | 疾病治療 | 癒後／復健 |
| 預防醫學 | | 醫療需求 | | 長照需求 |
| 天成健康管理中心<br>Ten-Chen Health Club | | 天晟醫院<br>Ten-Chan General Hospital | | 金色年代<br>長照機構 |

我開始學習立委同事們的質詢方式並加以練習。

質詢過程中，我會揭示官員迴避或不敢正面回應的問題，並要求他們必須提供具體數字，以 5W（What, When, Where, Who, Why）的方式問政，同時要求他們提出實際改善方案。不僅在時間、地點、和誰有關等來質詢，而且每個數字都必須是正確的，譬如百分比、成長率，這對解決問題來說非常重要。

此外，針對各種議題，我會深入了解實際情況，提出切中要點的質詢。比如我質詢衛福部部長薛瑞元如何確保醫療永續。

我查詢經濟合作暨發展組織和衛福部 2023 年 2 月資料顯示，2020 年我國經常性醫療保健支出占國內生產毛額

（GDP）比重為6.1%，僅與墨西哥（6.2%）相近；2021年時，我國占比依舊停滯在6.1%，相較於世界各國排名，遠低於美國（17.8%）、德國（12.8%）、英國（11.9%）與南韓（8.8%），藉由相關重要數據來佐證台灣目前醫療保健支出的占比和世界各國相較，明顯偏低，以此監督政府改善施政。

現在，我可以自信地說，我已經非常能掌握質詢的方向，透過提問重點來質詢官員，讓他們必須確實地回應。

我的質詢能力得到許多民眾肯定，大家都認為我在問政上愈來愈有架勢，愈來愈爐火純青，精準提問並切中要點，網路上好評不斷提高。連續得到口袋國會評選優質、優良立委，我的網路聲量雖然不是最高，但卻是質量最好的，多次在網路溫度計調查中，在所有立委中獲得好感度評價第一。

## 將專業回饋社會

政治就是關心眾人之事、為民服務，做為立法委員這四年多來，每週一、三、四參加委員會進行問政；每週二、五參與院會和總質詢。平常時間則準備法案，研究時政議題，參與協會、社團，與選民服務等，傾聽大家的聲音，了解民眾需求，並將這些需求和解決問題方法，反映在立法院質詢和法案推動上。

擔任立法委員之後，我有機會與各大協會多方接觸，尤其是我所專注的醫療、科技及長照領域。過去三年因疫情影響，直到解封後陸續展開各項交流活動。

就像2023年7月參加政大企家班同學會，當天晚上大約七點多到達現場，同學們見到我出席非常高興，立即要我致詞，我說很高興再過幾個月我的立委任期到了，以後比較有空，可和同學們多相聚。

企家班已經畢業十五年，當時有一位上課時常坐我旁邊的恆隆行陳政鴻董事長，一起讀書時公司規模尚小，幾年後已是全國最有名英國戴森電器的總代理。我跟陳董說，我和孩子們的家中，全都使用英國製的戴森吸塵器和電氣用品。

新天地歐敏輝董事長，他是下次同學會的爐主，為了慶祝我第三本書出版，相約簽書會之時辦同學會。

在這些活動中，有機會和二、三十年未見的同學、老友重逢，如今他們都已經事業有成，有些人已擔任董事長或政府部門重要職務，多年後再次相見我感到收穫滿滿，好像重回尋夢園，這是當上立法委員之後的額外收穫。

## 為眾人謀福利才是政治家

2022年我在楊梅輔選桃園市市長選舉，大勝對手得票率20%，大家都肯定我擔任楊梅區輔選主委，勝選有功，很多選民都認同我的專業問政及輔選成績，在2024年大選時，應該要繼續擔任立委，為民服務，我很感謝大家的肯定與支持。

此時我想起法國已故總統席哈克（Jacques Chirac）的一個小故事，他優雅的紳士氣質、親民的風範，廣受民眾愛戴與懷念。法國人說：「席哈克無論擔任什麼官職，都不忘市井小民，隨時願意傾聽民眾的聲音。」

有一天，在盛夏巴黎街頭散步的他，發現有個孩子跟在身後，席哈克彎下腰，親切地問這個孩子：「是否需要簽名？」孩子回答：「我不想要簽名，只是覺得走在你的影子下挺涼快。」

孩子的回答讓席哈克體悟，原來民眾在乎的不是總統的虛名，而是執政者實實在在的照顧。席哈克把這件事寫在自己的一份講稿裡，並在施政綱領中，宣示要做一個替法國人「遮蔽酷暑」的國家領導人。

席哈克的小故事，讓我們了解「政治家」與「政客」的不同。政客是為了下一次選舉，用盡手段保障自己與少部分人的利益，而政治家則是為了下一代的幸福，關心公共事務。這種情操，正是政治人物應該學習的典範，體察民眾需求、凡事以公眾利益為出發，我期許自己能學習席哈克的精神，成為一位為眾人謀福利的政治家。

書寫到此，讓我想起宋代趙鼎的〈寒食〉：

漢寢唐陵無麥飯，山谿野徑有梨花。
一樽徑藉青苔臥，莫管城頭奏暮笳。

時至今日，漢唐兩代的王陵巨冢，已經沒有人前去祭祀，而山谷溪間的小路上依然生長著許多梨花。平民百姓有子孫的傳承，每年掃墓有下一代的祭拜；而王朝的世代更替，非人力所能左右。

現在西方國家不也一樣嗎？羅馬帝國今何在？

其實人類持續的努力和源源不斷的創造力，才是推動文明演進的無限動力。

我從一個企業的 CEO，成為傾聽人民心聲、為民服務、監督政府、參與國際外交事務的國會議員。非常感謝國家和社會給我這個機會，讓我能夠將過去在企業累積的知識與經驗，整合到立法院的工作中，可以運用「我聞、我見、我思、我實踐」，回饋社會與國家。

我曾聽過一句話：「企業是永久的執政黨。」企業家雖非從政或做官，但卻是社會文明進步的重要推手。我很幸運能在不同平台上，兼具政治人物與企業家兩種角色，彷彿譜寫一首磅礴經典、感動人心的交響曲。

國家圖書館出版品預行編目(CIP)資料

我創業，我實踐：斜槓CEO張育美/張育美作. -- 第一版. -- 臺北市：遠見天下文化出版股份有限公司, 2024.01
面； 公分. -- (財經企管；BCB804)
ISBN 978-626-355-358-3(平裝)

1.CST: 張育美 2.CST: 傳記 3.CST: 言論集

078 112012702

財經企管 BCB804

# 我創業，我實踐

## 斜槓 CEO 張育美

作者—張育美
企劃出版部總編輯—李桂芬
主編—羅德禎
文字編輯—邵冰如
責任編輯—李美貞（特約）
美術設計—劉雅文（特約）
圖片提供—張育美

出版者—遠見天下文化出版股份有限公司
創辦人—高希均、王力行
遠見・天下文化 事業群榮譽董事長 —高希均
遠見・天下文化 事業群董事長—王力行
天下文化社長—林天來
國際事務開發部兼版權中心總監—潘欣
法律顧問—理律法律事務所陳長文律師
著作權顧問—魏啟翔律師
社址—臺北市 104 松江路 93 巷 1 號
讀者服務專線—02-2662-0012 ｜傳真—02-2662-0007；02-2662-0009
電子郵件信箱—cwpc@cwgv.com.tw
直接郵撥帳號—1326703-6 號　遠見天下文化出版股份有限公司

製版廠—中原造像股份有限公司
印刷廠—中原造像股份有限公司
裝訂廠—中原造像股份有限公司
登記證—局版台業字第 2517 號
總經銷—大和書報圖書股份有限公司｜電話—02-8990-2588
出版日期—2024 年 1 月 20 日第一版第一次印行

定價—450 元
ISBN—978-626-355-358-3　｜ EISBN—9786263553644 ( EPUB )；9786263553651（ PDF ）
書號—BCB804
天下文化官網—bookzone.cwgv.com.tw